Bernardin

Paul
et Virginie

Dossier et notes réalisés par
Mathilde Bombart

Lecture d'image par
Agnès Verlet

folioplus

classiques

Mathilde Bombart est maître de conférences à l'université Jean Moulin-Lyon 3. Elle est spécialiste de la littérature du XVIIᵉ siècle et s'intéresse particulièrement à l'histoire de la lecture. En « Folioplus classiques », elle a choisi et modernisé des textes issus de l'*Encyclopédie* et en a rédigé le dossier et les notes (n° 142, 2008).

Agnès Verlet est l'auteur de plusieurs essais : *Les Vanités de Chateaubriand* (Droz, 2001), et *Pierres parlantes, florilège d'épitaphes parisiennes* (Paris-Musées, 2000). Elle a rédigé le dossier critique des *Aventures du dernier Abencérage* de Chateaubriand (« La bibliothèque Gallimard » n° 170) ainsi que conçu et commenté l'anthologie *Écrire des rêves* (« La bibliothèque Gallimard » n° 190). Elle collabore à des revues. Elle a également publié des œuvres de fiction, parmi lesquelles *La Messagère de rien* (Séguier, 1997) et *Les Violons brûlés* (La Différence, 2006).

Sommaire

Sommaire

Paul et Virginie

Sur le côté oriental de la montagne qui s'élève derrière le Port-Louis de l'Île-de-France, on voit, dans un terrain jadis cultivé, les ruines de deux petites cabanes. Elles sont situées presque au milieu d'un bassin formé par de grands rochers, qui n'a qu'une seule ouverture tournée au nord. On aperçoit à gauche la montagne appelée le morne de la Découverte, d'où l'on signale les vaisseaux qui abordent dans l'île, et au bas de cette montagne la ville nommée le Port-Louis ; à droite, le chemin qui mène du Port-Louis au quartier des Pamplemousses ; ensuite l'église de ce nom, qui s'élève avec ses avenues de bambous au milieu d'une grande plaine ; et plus loin une forêt qui s'étend jusqu'aux extrémités de l'île. On distingue devant soi, sur les bords de la mer, la baie du Tombeau ; un peu sur la droite, le cap Malheureux ; et au-delà, la pleine mer, où paraissent à fleur d'eau quelques îlots inhabités, entre autres le coin de Mire, qui ressemble à un bastion au milieu des flots[1].

À l'entrée de ce bassin, d'où l'on découvre tant d'objets, les échos de la montagne répètent sans cesse le bruit des

---

1. Cette topographie de l'île de France (aujourd'hui île Maurice) est à peu près exacte si l'on se réfère aux cartes de l'époque. Port-Louis est la capitale. Le terme de « morne » désigne une petite montagne.

vents qui agitent les forêts voisines, et le fracas des vagues qui brisent au loin sur les récifs ; mais au pied même des cabanes on n'entend plus aucun bruit, et on ne voit autour de soi que de grands rochers escarpés comme des murailles. Des bouquets d'arbres croissent à leurs bases, dans leurs fentes, et jusque sur leurs cimes, où s'arrêtent les nuages. Les pluies que leurs pitons attirent peignent souvent les couleurs de l'arc-en-ciel sur leurs flancs verts et bruns, et entretiennent à leurs pieds les sources dont se forme la petite rivière des Lataniers[1]. Un grand silence règne dans leur enceinte, où tout est paisible, l'air, les eaux et la lumière. À peine l'écho y répète le murmure des palmistes qui croissent sur leurs plateaux élevés, et dont on voit les longues flèches toujours balancées par les vents. Un jour doux éclaire le fond de ce bassin, où le soleil ne luit qu'à midi ; mais dès l'aurore ses rayons en frappent le couronnement, dont les pics s'élevant au-dessus des ombres de la montagne paraissent d'or et de pourpre sur l'azur des cieux.

J'aimais à me rendre dans ce lieu où l'on jouit à la fois d'une vue immense et d'une solitude profonde. Un jour que j'étais assis au pied de ces cabanes, et que j'en considérais les ruines, un homme déjà sur l'âge vint à passer aux environs. Il était, suivant la coutume des anciens habitants, en petite veste et en long caleçon[2]. Il marchait nu-pieds, et s'appuyait sur un bâton de bois d'ébène. Ses cheveux étaient tout blancs, et sa physionomie noble et simple. Je le saluai avec respect. Il me rendit mon salut, et m'ayant considéré un moment, il s'approcha de moi, et vint se reposer sur le tertre[3] où j'étais assis. Excité par cette marque de confiance,

---

1. Arbres s'apparentant au palmier.
2. Un caleçon désigne à l'époque un vêtement qui descend de la ceinture au genou.
3. Butte.

je lui adressai la parole : « Mon père, lui dis-je, pourriez-vous m'apprendre à qui ont appartenu ces deux cabanes ? » Il me répondit : « Mon fils, ces masures et ce terrain inculte étaient habités, il y a environ vingt ans, par deux familles qui y avaient trouvé le bonheur. Leur histoire est touchante : mais dans cette île, située sur la route des Indes[1], quel Européen peut s'intéresser au sort de quelques particuliers obscurs ? qui voudrait même y vivre heureux, mais pauvre et ignoré ? Les hommes ne veulent connaître que l'histoire des grands et des rois, qui ne sert à personne. — Mon père, repris-je, il est aisé de juger à votre air et à votre discours que vous avez acquis une grande expérience. Si vous en avez le temps, racontez-moi, je vous prie, ce que vous savez des anciens habitants de ce désert, et croyez que l'homme même le plus dépravé par les préjugés du monde aime à entendre parler du bonheur que donnent la nature et la vertu. » Alors, comme quelqu'un qui cherche à se rappeler diverses circonstances, après avoir appuyé quelque temps ses mains sur son front, voici ce que ce vieillard me raconta.

En 1726, un jeune homme de Normandie, appelé M. de la Tour, après avoir sollicité en vain du service en France et des secours dans sa famille, se détermina à venir dans cette île pour y chercher fortune. Il avait avec lui une jeune femme qu'il aimait beaucoup et dont il était également aimé. Elle était d'une ancienne et riche maison de sa province ; mais il l'avait épousée en secret et sans dot, parce que les parents de sa femme s'étaient opposés à son mariage, attendu qu'il n'était pas gentilhomme[2]. Il la laissa au Port-Louis de cette île, et il s'embarqua pour Madagascar, dans l'espérance

---

1. Route maritime qui va de l'Europe à l'Inde, en passant par le sud de l'Afrique.
2. C'est-à-dire qu'il n'était pas noble.

d'y acheter quelques noirs, et de revenir promptement
ici former une habitation. Il débarqua à Madagascar vers la
mauvaise saison qui commence à la mi-octobre ; et peu de
temps après son arrivée il y mourut des fièvres pestilen-
tielles qui y règnent pendant six mois de l'année, et qui
empêcheront toujours les nations européennes d'y faire
des établissements fixes. Les effets qu'il avait emportés
avec lui furent dispersés après sa mort, comme il arrive
ordinairement à ceux qui meurent hors de leur patrie. Sa
femme, restée à l'Île-de-France, se trouva veuve, enceinte,
et n'ayant pour tout bien au monde qu'une négresse, dans
un pays où elle n'avait ni crédit ni recommandation. Ne
voulant rien solliciter auprès d'aucun homme après la mort
de celui qu'elle avait uniquement aimé, son malheur lui donna
du courage. Elle résolut de cultiver avec son esclave un
petit coin de terre, afin de se procurer de quoi vivre.

Dans une île presque déserte dont le terrain était à discrétion[1] elle ne choisit point les cantons[2] les plus fertiles ni
les plus favorables au commerce ; mais cherchant quelque
gorge de montagne, quelque asile caché où elle pût vivre
seule et inconnue, elle s'achemina de la ville vers ces rochers
pour s'y retirer comme dans un nid. C'est un instinct commun à tous les êtres sensibles et souffrants de se réfugier
dans les lieux les plus sauvages et les plus déserts ; comme
si des rochers étaient des remparts contre l'infortune, et
comme si le calme de la nature pouvait apaiser les troubles
malheureux de l'âme. Mais la Providence[3], qui vient à notre
secours lorsque nous ne voulons que les biens nécessaires,

---

1. Disponible à volonté.
2. Certaine partie d'un pays considéré comme distinct du reste de
ce pays. Le terme n'a pas le sens administratif d'aujourd'hui.
3. Terme utilisé en théologie chrétienne pour désigner la puissance
divine.

en réservait un à madame de la Tour que ne donnent ni les richesses ni la grandeur ; c'était une amie.

Dans ce lieu depuis un an demeurait une femme vive, bonne et sensible ; elle s'appelait Marguerite. Elle était née en Bretagne d'une simple famille de paysans, dont elle était chérie, et qui l'aurait rendue heureuse, si elle n'avait eu la faiblesse d'ajouter foi à l'amour d'un gentilhomme de son voisinage qui lui avait promis de l'épouser ; mais celui-ci ayant satisfait sa passion s'éloigna d'elle, et refusa même de lui assurer une subsistance pour un enfant dont il l'avait laissée enceinte. Elle s'était déterminée alors à quitter pour toujours le village où elle était née, et à aller cacher sa faute aux colonies, loin de son pays, où elle avait perdu la seule dot d'une fille pauvre et honnête, la réputation. Un vieux noir, qu'elle avait acquis de quelques deniers empruntés, cultivait avec elle un petit coin de ce canton.

Madame de la Tour, suivie de sa négresse, trouva dans ce lieu Marguerite qui allaitait son enfant. Elle fut charmée de rencontrer une femme dans une position qu'elle jugea semblable à la sienne. Elle lui parla en peu de mots de sa condition passée et de ses besoins présents. Marguerite au récit de madame de la Tour fut émue de pitié ; et, voulant mériter sa confiance plutôt que son estime, elle lui avoua sans lui rien déguiser l'imprudence dont elle s'était rendue coupable. « Pour moi, dit-elle, j'ai mérité mon sort ; mais vous, madame… vous, sage et malheureuse ! » Et elle lui offrit en pleurant sa cabane et son amitié. Madame de la Tour, touchée d'un accueil si tendre, lui dit en la serrant dans ses bras : « Ah ! Dieu veut finir mes peines, puisqu'il vous inspire plus de bonté envers moi qui vous suis étrangère, que jamais je n'en ai trouvé dans mes parents. »

Je connaissais Marguerite, et quoique je demeure à une

lieue et demie d'ici[1], dans les bois, derrière la Montagne-
Longue, je me regardais comme son voisin. Dans les villes
d'Europe une rue, un simple mur, empêchent les membres
d'une même famille de se réunir pendant des années entières ; mais dans les colonies nouvelles on considère comme
ses voisins ceux dont on n'est séparé que par des bois et
par des montagnes. Dans ce temps-là surtout, où cette île
faisait peu de commerce aux Indes, le simple voisinage y
était un titre d'amitié, et l'hospitalité envers les étrangers
un devoir et un plaisir. Lorsque j'appris que ma voisine
avait une compagne, je fus la voir pour tâcher d'être utile
à l'une et à l'autre. Je trouvai dans madame de la Tour une
personne d'une figure intéressante, pleine de noblesse et
de mélancolie. Elle était alors sur le point d'accoucher. Je
dis à ces deux dames qu'il convenait pour l'intérêt de leurs
enfants, et surtout pour empêcher l'établissement de quelque autre habitant, de partager entre elles le fond de ce
bassin, qui contient environ vingt arpents. Elles s'en rappor-
tèrent à moi pour ce partage. J'en formai deux portions à
peu près égales ; l'une renfermait la partie supérieure de
cette enceinte, depuis ce piton de rocher couvert de nuages, d'où sort la source de la rivière des Lataniers, jusqu'à
cette ouverture escarpée que vous voyez au haut de la
montagne, et qu'on appelle l'Embrasure, parce qu'elle ressemble en effet à une embrasure de canon[2]. Le fond de ce
sol est si rempli de roches et de ravins qu'à peine on y
peut marcher ; cependant il produit de grands arbres, et il
est rempli de fontaines et de petits ruisseaux. Dans l'autre
portion je compris toute la partie inférieure qui s'étend le
long de la rivière des Lataniers jusqu'à l'ouverture où nous

---

1. Une lieue représentait (avant l'établissement du système métri-
que) à peu près l'équivalent de quatre kilomètres.
2. Ouverture par où sont tirés les boulets de canon.

sommes, d'où cette rivière commence à couler entre deux collines jusqu'à la mer. Vous y voyez quelques lisières de prairies, et un terrain assez uni, mais qui n'est guère meilleur que l'autre ; car dans la saison des pluies il est marécageux, et dans les sécheresses il est dur comme du plomb ; quand on y veut alors ouvrir une tranchée, on est obligé de le couper avec des haches. Après avoir fait ces deux partages j'engageai ces deux dames à les tirer au sort. La partie supérieure échut à madame de la Tour, et l'inférieure à Marguerite. L'une et l'autre furent contentes de leur lot ; mais elles me prièrent de ne pas séparer leur demeure, « afin, me dirent-elles, que nous puissions toujours nous voir, nous parler et nous entraider ». Il fallait cependant à chacune d'elles une retraite particulière. La case de Marguerite se trouvait au milieu du bassin précisément sur les limites de son terrain. Je bâtis tout auprès, sur celui de madame de la Tour, une autre case, en sorte que ces deux amies étaient à la fois dans le voisinage l'une de l'autre et sur la propriété de leurs familles. Moi-même j'ai coupé des palissades dans la montagne ; j'ai apporté des feuilles de latanier des bords de la mer pour construire ces deux cabanes, où vous ne voyez plus maintenant ni porte ni couverture. Hélas ! il n'en reste encore que trop pour mon souvenir ! Le temps, qui détruit si rapidement les monuments des empires, semble respecter dans ces déserts ceux de l'amitié, pour perpétuer mes regrets jusqu'à la fin de ma vie.

À peine la seconde de ces cabanes était achevée que madame de la Tour accoucha d'une fille. J'avais été le parrain de l'enfant de Marguerite, qui s'appelait Paul. Madame de la Tour me pria aussi de nommer sa fille conjointement avec son amie. Celle-ci lui donna le nom de Virginie. « Elle sera vertueuse, dit-elle, et elle sera heureuse. Je n'ai connu le malheur qu'en m'écartant de la vertu. »

Lorsque madame de la Tour fut relevée de ses couches, ces deux petites habitations commencèrent à être de quelque rapport, à l'aide des soins que j'y donnais de temps en temps, mais surtout par les travaux assidus de leurs esclaves. Celui de Marguerite, appelé Domingue, était un noir yolof[1], encore robuste, quoique déjà sur l'âge[2]. Il avait de l'expérience et un bon sens naturel. Il cultivait indifféremment sur les deux habitations les terrains qui lui semblaient les plus fertiles, et il y mettait les semences qui leur convenaient le mieux. Il semait du petit mil et du maïs dans les endroits médiocres, un peu de froment dans les bonnes terres, du riz dans les fonds marécageux ; et au pied des roches, des giraumons[3], des courges et des concombres, qui se plaisent à y grimper. Il plantait dans les lieux secs des patates qui y viennent très sucrées, des cotonniers sur les hauteurs, des cannes à sucre dans les terres fortes, des pieds de café sur les collines, où le grain est petit, mais excellent ; le long de la rivière et autour des cases, des bananiers qui donnent toute l'année de longs régimes de fruits avec un bel ombrage, et enfin quelques plantes de tabac pour charmer ses soucis et ceux de ses bonnes maîtresses. Il allait couper du bois à brûler dans la montagne, et casser des roches çà et là dans les habitations pour en aplanir les chemins. Il faisait tous ces ouvrages avec intelligence et activité, parce qu'il les faisait avec zèle. Il était fort attaché à Marguerite ; et il ne l'était guère moins à madame de la Tour, dont il avait épousé la négresse à la naissance de Virginie. Il aimait passionnément sa femme, qui s'appelait Marie. Elle était née à Madagascar, d'où elle avait apporté

---

1. Le terme de « yolof », aujourd'hui « wolof », renvoie à un peuple de la région correspondant à l'actuel Sénégal.
2. Âgé.
3. Variété de courge.

quelque industrie[1], surtout celle de faire des paniers et des étoffes appelées pagnes, avec des herbes qui croissent dans les bois. Elle était adroite, propre, et très fidèle. Elle avait soin de préparer à manger, d'élever quelques poules, et d'aller de temps en temps vendre au Port-Louis le superflu de ces deux habitations, qui était bien peu considérable. Si vous y joignez deux chèvres élevées près des enfants, et un gros chien qui veillait la nuit au-dehors, vous aurez une idée de tout le revenu et de tout le domestique de ces deux petites métairies[2].

Pour ces deux amies, elles filaient du matin au soir du coton. Ce travail suffisait à leur entretien et à celui de leurs familles ; mais d'ailleurs elles étaient si dépourvues de commodités[3] étrangères qu'elles marchaient nu-pieds dans leur habitation, et ne portaient de souliers que pour aller le dimanche de grand matin à la messe à l'église des Pamplemousses que vous voyez là-bas. Il y a cependant bien plus loin qu'au Port-Louis ; mais elles se rendaient rarement à la ville, de peur d'y être méprisées, parce qu'elles étaient vêtues de grosse toile bleue du Bengale comme des esclaves. Après tout, la considération publique vaut-elle le bonheur domestique ? Si ces dames avaient un peu à souffrir au-dehors, elles rentraient chez elles avec d'autant plus de plaisir. À peine Marie et Domingue les apercevaient de cette hauteur sur le chemin des Pamplemousses, qu'ils accouraient jusqu'au bas de la montagne pour les aider à la remonter. Elles lisaient dans les yeux de leurs esclaves la joie qu'ils avaient de les revoir. Elles trouvaient chez elles la propreté, la liberté, des biens qu'elles ne devaient qu'à

---

1. Habileté à faire quelque chose.
2. Domaines agricoles dont l'exploitant est tenu de partager les fruits et les récoltes avec le propriétaire auquel il les loue.
3. Richesses ou biens.

leurs propres travaux, et des serviteurs pleins de zèle et d'affection. Elles-mêmes, unies par les mêmes besoins, ayant éprouvé des maux presque semblables, se donnant les doux noms d'amie, de compagne et de sœur, n'avaient qu'une volonté, qu'un intérêt, qu'une table. Tout entre elles était commun. Seulement si d'anciens feux plus vifs que ceux de l'amitié se réveillaient dans leur âme, une religion pure, aidée par des mœurs chastes, les dirigeait vers une autre vie, comme la flamme qui s'envole vers le ciel lorsqu'elle n'a plus d'aliment sur la terre.

Les devoirs de la nature ajoutaient encore au bonheur de leur société. Leur amitié mutuelle redoublait à la vue de leurs enfants, fruits d'un amour également infortuné. Elles prenaient plaisir à les mettre ensemble dans le même bain, et à les coucher dans le même berceau. Souvent elles les changeaient de lait. « Mon amie, disait madame de la Tour, chacune de nous aura deux enfants, et chacun de nos enfants aura deux mères. » Comme deux bourgeons qui restent sur deux arbres de la même espèce, dont la tempête a brisé toutes les branches, viennent à produire des fruits plus doux, si chacun d'eux, détaché du tronc maternel, est greffé sur le tronc voisin ; ainsi ces deux petits enfants, privés de tous leurs parents, se remplissaient de sentiments plus tendres que ceux de fils et de fille, de frère et de sœur, quand ils venaient à être changés de mamelles par les deux amies qui leur avaient donné le jour. Déjà leurs mères parlaient de leur mariage sur leurs berceaux, et cette perspective de félicité conjugale, dont elles charmaient leurs propres peines, finissait bien souvent par les faire pleurer ; l'une se rappelant que ses maux étaient venus d'avoir négligé l'hymen[1], et l'autre d'en avoir subi les lois ; l'une, de s'être élevée au-dessus de sa condition, et l'autre d'en être des-

---

1. Le mariage.

cendue : mais elles se consolaient en pensant qu'un jour leurs enfants, plus heureux, jouiraient à la fois, loin des cruels préjugés de l'Europe, des plaisirs de l'amour et du bonheur de l'égalité.

Rien en effet n'était comparable à l'attachement qu'ils se témoignaient déjà. Si Paul venait à se plaindre, on lui montrait Virginie ; à sa vue il souriait et s'apaisait. Si Virginie souffrait, on en était averti par les cris de Paul ; mais cette aimable fille dissimulait aussitôt son mal pour qu'il ne souffrît pas de sa douleur. Je n'arrivais point de fois ici que je ne les visse tous deux tout nus, suivant la coutume du pays, pouvant à peine marcher, se tenant ensemble par les mains et sous les bras comme on représente la constellation des gémeaux. La nuit même ne pouvait les séparer ; elle les surprenait souvent couchés dans le même berceau, joue contre joue, poitrine contre poitrine, les mains passées mutuellement autour de leurs cous, et endormis dans les bras l'un de l'autre.

Lorsqu'ils surent parler, les premiers noms qu'ils apprirent à se donner furent ceux de frère et de sœur. L'enfance, qui connaît des caresses plus tendres, ne connaît point de plus doux noms. Leur éducation ne fit que redoubler leur amitié en la dirigeant vers leurs besoins réciproques. Bientôt tout ce qui regarde l'économie, la propreté, le soin de préparer un repas champêtre, fut du ressort de Virginie, et ses travaux étaient toujours suivis des louanges et des baisers de son frère. Pour lui, sans cesse en action, il bêchait le jardin avec Domingue, ou, une petite hache à la main, il le suivait dans les bois ; et si dans ces courses une belle fleur, un bon fruit, ou un nid d'oiseaux se présentaient à lui, eussent-ils été au haut d'un arbre, il l'escaladait pour les apporter à sa sœur.

Quand on en rencontrait un quelque part on était sûr que l'autre n'était pas loin. Un jour que je descendais du sommet de cette montagne, j'aperçus à l'extrémité du jardin Virginie qui accourait vers la maison, la tête couverte de son jupon qu'elle avait relevé par-derrière, pour se mettre à l'abri d'une ondée de pluie. De loin je la crus seule ; et m'étant avancé vers elle pour l'aider à marcher, je vis qu'elle tenait Paul par le bras, enveloppé presque en entier de la même couverture, riant l'un et l'autre d'être ensemble à l'abri sous un parapluie de leur invention. Ces deux têtes charmantes renfermées sous ce jupon bouffant me rappelèrent les enfants de Léda enclos dans la même coquille[1].

Toute leur étude était de se complaire et de s'entraider. Au reste ils étaient ignorants comme des Créoles[2], et ne savaient ni lire ni écrire. Ils ne s'inquiétaient pas de ce qui s'était passé dans des temps reculés et loin d'eux ; leur curiosité ne s'étendait pas au-delà de cette montagne. Ils croyaient que le monde finissait où finissait leur île ; et ils n'imaginaient rien d'aimable où ils n'étaient pas. Leur affection mutuelle et celle de leurs mères occupaient toute l'activité de leurs âmes. Jamais des sciences inutiles n'avaient fait couler leurs larmes ; jamais les leçons d'une triste morale ne les avaient remplis d'ennui. Ils ne savaient pas qu'il ne faut pas dérober, tout chez eux étant commun ; ni être intempérant[3], ayant à discrétion des mets simples ; ni menteur, n'ayant aucune vérité à dissimuler. On ne les avait jamais effrayés en leur disant que Dieu réserve des punitions terribles aux enfants ingrats ; chez eux l'amitié filiale était née de l'amitié maternelle. On ne leur avait appris de la religion que ce qui la fait aimer ; et s'ils n'offraient pas à

---

1. Dans la mythologie antique, Léda conçut de ses amours avec Zeus (transformé en cygne) deux couples de jumeaux : Castor et Pollux et Clytemnestre et Hélène.
2. Terme qui désigne les habitants des colonies qui y sont nés, mais n'appartiennent pas à la population indigène.
3. Qui manque de mesure.

l'église de longues prières, partout où ils étaient, dans la maison, dans les champs, dans les bois, ils levaient vers le ciel des mains innocentes et un cœur plein de l'amour de leurs parents.

Ainsi se passa leur première enfance comme une belle aube qui annonce un plus beau jour. Déjà ils partageaient avec leurs mères tous les soins du ménage. Dès que le chant du coq annonçait le retour de l'aurore, Virginie se levait, allait puiser de l'eau à la source voisine, et rentrait dans la maison pour préparer le déjeuner. Bientôt après, quand le soleil dorait les pitons de cette enceinte, Marguerite et son fils se rendaient chez madame de la Tour : alors ils commençaient tous ensemble une prière suivie du premier repas ; souvent ils le prenaient devant la porte, assis sur l'herbe sous un berceau de bananiers, qui leur fournissait à la fois des mets tout préparés dans leurs fruits substantiels, et du linge de table dans leurs feuilles larges, longues, et lustrées. Une nourriture saine et abondante développait rapidement les corps de ces deux jeunes gens, et une éducation douce peignait dans leur physionomie la pureté et le contentement de leur âme. Virginie n'avait que douze ans ; déjà sa taille était plus qu'à demi formée ; de grands cheveux blonds ombrageaient sa tête ; ses yeux bleus et ses lèvres de corail brillaient du plus tendre éclat sur la fraîcheur de son visage : ils souriaient toujours de concert quand elle parlait ; mais quand elle gardait le silence, leur obliquité[1] naturelle vers le ciel leur donnait une expression d'une sensibilité extrême, et même celle d'une légère mélancolie. Pour Paul, on voyait déjà se développer en lui le caractère d'un homme au milieu des grâces de l'adolescence. Sa taille était plus élevée que celle de Virginie, son teint plus rembruni, son nez plus aquilin, et ses yeux, qui

---

1. Inclinaison.

étaient noirs, auraient eu un peu de fierté, si les longs cils qui rayonnaient autour comme des pinceaux ne leur avaient donné la plus grande douceur. Quoiqu'il fût toujours en mouvement, dès que sa sœur paraissait il devenait tranquille et allait s'asseoir auprès d'elle. Souvent leur repas se passait sans qu'ils se disent un mot. À leur silence, à la naïveté de leurs attitudes, à la beauté de leurs pieds nus, on eût cru voir un groupe antique de marbre blanc représentant quelques-uns des enfants de Niobé[1] ; mais à leurs regards qui cherchaient à se rencontrer, à leurs sourires rendus par de plus doux sourires, on les eût pris pour ces enfants du ciel, pour ces esprits bienheureux dont la nature est de s'aimer, et qui n'ont pas besoin de rendre le sentiment par des pensées, et l'amitié par des paroles.

Cependant madame de la Tour, voyant sa fille se développer avec tant de charmes, sentait augmenter son inquiétude avec sa tendresse. Elle me disait quelquefois : « Si je venais à mourir, que deviendrait Virginie sans fortune ? »

Elle avait en France une tante, fille de qualité, riche, vieille et dévote, qui lui avait refusé si durement des secours lorsqu'elle se fut mariée à M. de la Tour, qu'elle s'était bien promis de n'avoir jamais recours à elle à quelque extrémité qu'elle fût réduite. Mais devenue mère, elle ne craignit plus la honte des refus. Elle manda à sa tante la mort inattendue de son mari, la naissance de sa fille, et l'embarras où elle se trouvait, loin de son pays, dénuée de support, et chargée d'un enfant. Elle n'en reçut point de réponse. Elle qui était d'un caractère élevé, ne craignit plus de s'humilier, et de s'exposer aux reproches de sa parente, qui ne lui avait jamais pardonné d'avoir épousé un homme sans naissance, quoique vertueux. Elle lui écrivait donc par tou-

---

1. Dans la mythologie antique, Niobé, fille de Tantale, est connue pour le grand nombre et la grande beauté de ses enfants.

tes les occasions afin d'exciter sa sensibilité en faveur de Virginie. Mais bien des années s'étaient écoulées sans recevoir d'elle aucune marque de souvenir.

Enfin en 1738, trois ans après l'arrivée de M. de la Bourdonnais dans cette île[1], madame de la Tour apprit que ce gouverneur avait à lui remettre une lettre de la part de sa tante. Elle courut au Port-Louis sans se soucier cette fois d'y paraître mal vêtue, la joie maternelle la mettant au-dessus du respect humain. M. de la Bourdonnais lui donna en effet une lettre de sa tante. Celle-ci mandait à sa nièce qu'elle avait mérité son sort pour avoir épousé un aventurier, un libertin[2] ; que les passions portaient avec elles leur punition ; que la mort prématurée de son mari était un juste châtiment de Dieu ; qu'elle avait bien fait de passer aux îles plutôt que de déshonorer sa famille en France ; qu'elle était après tout dans un bon pays où tout le monde faisait fortune, excepté les paresseux. Après l'avoir ainsi blâmée elle finissait par se louer elle-même : pour éviter, disait-elle, les suites souvent funestes du mariage, elle avait toujours refusé de se marier. La vérité est qu'étant ambitieuse, elle n'avait voulu épouser qu'un homme de grande qualité ; mais quoiqu'elle fût très riche, et qu'à la cour on soit indifférent à tout excepté à la fortune, il ne s'était trouvé personne qui eût voulu s'allier à une fille aussi laide, et à un cœur aussi dur.

Elle ajoutait par post-scriptum que, toute réflexion faite, elle l'avait fortement recommandée à M. de la Bourdonnais. Elle l'avait en effet recommandée, mais suivant un usage bien commun aujourd'hui, qui rend un protecteur

---

1. Le comte Mahé de la Bourdonnais a en effet été nommé gouverneur de l'île en 1735.
2. Au XVIIIe siècle, le terme de libertin désigne un individu à la morale et au comportement libres et relâchés, notamment sur le plan amoureux et sexuel.

plus à craindre qu'un ennemi déclaré : afin de justifier auprès du gouverneur sa dureté pour sa nièce, en feignant de la plaindre, elle l'avait calomniée.

Madame de la Tour, que tout homme indifférent n'eût pu voir sans intérêt et sans respect, fut reçue avec beaucoup de froideur par M. de la Bourdonnais, prévenu contre elle. Il ne répondit à l'exposé qu'elle lui fit de sa situation et de celle de sa fille que par de durs monosyllabes : « Je verrai ; ... nous verrons ; ... avec le temps : ... il y a bien des malheureux... Pourquoi indisposer une tante respectable ?... C'est vous qui avez tort. »

Madame de la Tour retourna à l'habitation, le cœur navré de douleur et plein d'amertume. En arrivant elle s'assit, jeta sur la table la lettre de sa tante, et dit à son amie : « Voilà le fruit de onze ans de patience ! » Mais comme il n'y avait que madame de la Tour qui sût lire dans la société, elle reprit la lettre et en fit la lecture devant toute la famille rassemblée. À peine était-elle achevée que Marguerite lui dit avec vivacité : « Qu'avons-nous besoin de tes parents ? Dieu nous a-t-il abandonnées ? c'est lui seul qui est notre père. N'avons-nous pas vécu heureuses jusqu'à ce jour ? Pourquoi donc te chagriner ? Tu n'as point de courage. » Et voyant madame de la Tour pleurer, elle se jeta à son cou, et la serrant dans ses bras : « Chère amie, s'écria-t-elle, chère amie ! » mais ses propres sanglots étouffèrent sa voix. À ce spectacle Virginie, fondant en larmes, pressait alternativement les mains de sa mère et celles de Marguerite contre sa bouche et contre son cœur ; et Paul, les yeux enflammés de colère, criait, serrait les poings, frappait du pied, ne sachant à qui s'en prendre. À ce bruit Domingue et Marie accoururent, et l'on n'entendit plus dans la case que ces cris de douleur : « Ah, madame !... ma bonne maîtresse !... ma mère !... ne pleurez pas. » De si tendres marques d'amitié dissipèrent le chagrin de madame de la Tour. Elle prit Paul et Virginie dans ses bras, et leur dit d'un air content : « Mes enfants, vous êtes cause de ma peine ; mais vous faites toute ma joie. Oh ! mes chers enfants, le malheur ne m'est venu que de loin ; le bonheur est autour de moi. » Paul et Virginie ne la comprirent pas, mais quand ils la virent tranquille ils sourirent, et se mirent à la caresser. Ainsi ils continuèrent tous d'être heureux, et ce ne fut qu'un orage au milieu d'une belle saison.

Le bon naturel de ces enfants se développait de jour en jour. Un dimanche, au lever de l'aurore, leurs mères étant allées à la première messe à l'église des Pamplemousses, une négresse marronne[1] se présenta sous les bananiers qui entouraient leur habitation. Elle était décharnée comme un squelette, et n'avait pour vêtement qu'un lambeau de serpillière autour des reins. Elle se jeta aux pieds de Virginie, qui préparait le déjeuner de la famille, et lui dit : « Ma jeune demoiselle, ayez pitié d'une pauvre esclave fugitive ; il y a un mois que j'erre dans ces montagnes demi-morte de faim, souvent poursuivie par des chasseurs et par leurs chiens. Je fuis mon maître, qui est un riche habitant de la Rivièrenoire[2] : il m'a traitée comme vous le voyez » ; en même temps elle lui montra son corps sillonné de cicatrices profondes par les coups de fouet qu'elle en avait reçus. Elle ajouta : « Je voulais aller me noyer ; mais sachant que vous demeuriez ici, j'ai dit : Puisqu'il y a encore de bons blancs dans ce pays il ne faut pas encore mourir. » Virginie, tout émue, lui répondit : « Rassurez-vous, infortunée créature ! Mangez, mangez » ; et elle lui donna le déjeuner de la mai-

---

1. Esclave fugitif ou rebelle. Le mot vient de l'espagnol *cimarrón* : « vivant sur les cimes » (les esclaves marrons se réfugiaient dans des lieux inaccessibles).
2. Lieu situé au sud-ouest de l'île.

son, qu'elle avait apprêté. L'esclave en peu de moments le dévora tout entier. Virginie la voyant rassasiée lui dit : « Pauvre misérable ! j'ai envie d'aller demander votre grâce à votre maître ; en vous voyant il sera touché de pitié. Voulez-vous me conduire chez lui ? — Ange de Dieu, repartit la négresse, je vous suivrai partout où vous voudrez. » Virginie appela son frère, et le pria de l'accompagner. L'esclave marronne les conduisit par des sentiers, au milieu des bois, à travers de hautes montagnes qu'ils grimpèrent avec bien de la peine, et de larges rivières qu'ils passèrent à gué. Enfin, vers le milieu du jour, ils arrivèrent au bas d'un morne sur les bords de la Rivière-noire. Ils aperçurent là une maison bien bâtie, des plantations considérables, et un grand nombre d'esclaves occupés à toutes sortes de travaux. Leur maître se promenait au milieu d'eux, une pipe à la bouche, et un rotin à la main. C'était un grand homme sec, olivâtre, aux yeux enfoncés, et aux sourcils noirs et joints. Virginie, tout émue, tenant Paul par le bras, s'approcha de l'habitant, et le pria, pour l'amour de Dieu, de pardonner à son esclave, qui était à quelques pas de là derrière eux. D'abord l'habitant ne fit pas grand compte de ces deux enfants pauvrement vêtus ; mais quand il eut remarqué la taille élégante de Virginie, sa belle tête blonde sous une capote bleue, et qu'il eut entendu le doux son de sa voix, qui tremblait ainsi que tout son corps en lui demandant grâce, il ôta sa pipe de sa bouche, et levant son rotin vers le ciel, il jura par un affreux serment qu'il pardonnait à son esclave, non pas pour l'amour de Dieu, mais pour l'amour d'elle. Virginie aussitôt fit signe à l'esclave de s'avancer vers son maître ; puis elle s'enfuit, et Paul courut après elle.

Ils remontèrent ensemble le revers du morne par où ils étaient descendus, et parvenus au sommet ils s'assirent sous un arbre, accablés de lassitude, de faim et de soif. Ils avaient fait à jeun plus de cinq lieues depuis le lever du soleil. Paul dit à Virginie : « Ma sœur, il est plus de midi ; tu as faim et soif : nous ne trouverons point ici à dîner ; redescendons le morne, et allons demander à manger au maître de l'esclave. — Oh non, mon ami, reprit Virginie, il m'a fait trop de peur. Souviens-toi de ce que dit quelquefois maman : Le pain du méchant remplit la bouche de gravier. — Comment ferons-nous donc ? dit Paul ; ces arbres ne produisent que de mauvais fruits ; il n'y a pas seulement ici un tamarin[1] ou un citron pour te rafraîchir. — Dieu aura pitié de nous, reprit Virginie ; il exauce la voix des petits oiseaux qui lui demandent de la nourriture. » À peine avait-elle dit ces mots qu'ils entendirent le bruit d'une source qui tombait d'un rocher voisin. Ils y coururent, et après s'être désaltérés avec ses eaux plus claires que le cristal, ils cueillirent et mangèrent un peu de cresson qui croissait sur ses bords. Comme ils regardaient de côté et d'autre s'ils ne trouveraient pas quelque nourriture plus solide, Virginie aperçut parmi les arbres de la forêt un jeune palmiste[2]. Le chou que la cime de cet arbre renferme au milieu de ses feuilles est un fort bon manger ; mais quoique sa tige ne fût pas plus grosse que la jambe, elle avait plus de soixante pieds[3] de hauteur. À la vérité le bois de cet arbre n'est formé que d'un paquet de filaments, mais son aubier[4] est si dur qu'il fait rebrousser les meilleures haches ; et Paul n'avait pas même un couteau. L'idée lui vint de mettre le feu au pied de ce palmiste : autre embarras ; il n'avait point de briquet, et d'ailleurs dans cette île si couverte de rochers je ne crois pas qu'on puisse trouver une seule pierre à fusil[5].

1. Fruit de l'arbre nommé tamarinier.
2. Palmier. C'est le bourgeon terminal qui est appelé le « chou ».
3. L'unité du « pied » correspond à peu près à trente centimètres.
4. Partie de l'arbre juste sous l'écorce.
5. Silex.

La nécessité donne de l'industrie, et souvent les inventions les plus utiles ont été dues aux hommes les plus misérables. Paul résolut d'allumer du feu à la manière des noirs : avec l'angle d'une pierre il fit un petit trou sur une branche d'arbre bien sèche, qu'il assujettit sous ses pieds, puis avec le tranchant de cette pierre il fit une pointe à un autre morceau de branche également sèche, mais d'une espèce de bois différent ; il posa ensuite ce morceau de bois pointu dans le petit trou de la branche qui était sous ses pieds, et le faisant rouler rapidement entre ses mains comme on roule un moulinet dont on veut faire mousser du chocolat, en peu de moments il vit sortir du point de contact de la fumée et des étincelles. Il ramassa des herbes sèches et d'autres branches d'arbres, et mit le feu au pied du palmiste, qui bientôt après tomba avec un grand fracas. Le feu lui servit encore à dépouiller le chou de l'enveloppe de ses longues feuilles ligneuses et piquantes. Virginie et lui mangèrent une partie de ce chou crue, et l'autre cuite sous la cendre, et ils les trouvèrent également savoureuses. Ils firent ce repas frugal remplis de joie par le souvenir de la bonne action qu'ils avaient faite le matin ; mais cette joie était troublée par l'inquiétude où ils se doutaient bien que leur longue absence de la maison jetterait leurs mères. Virginie revenait souvent sur cet objet ; cependant Paul, qui sentait ses forces rétablies, l'assura qu'ils ne tarderaient pas à tranquilliser leurs parents.

Après dîner ils se trouvèrent bien embarrassés ; car ils n'avaient plus de guide pour les reconduire chez eux. Paul, qui ne s'étonnait de rien, dit à Virginie : « Notre case est vers le soleil du milieu du jour ; il faut que nous passions, comme ce matin, par-dessus cette montagne que tu vois là-bas avec ses trois pitons. Allons, marchons, mon amie. » Cette montagne était celle des Trois-mamelles, ainsi nommée parce que ses trois pitons en ont la forme[*]. Ils descendirent donc le morne de la Rivière-noire du côté du nord, et arrivèrent après une heure de marche sur les bords d'une large rivière qui barrait leur chemin. Cette grande partie de l'île, toute couverte de forêts, est si peu connue même aujourd'hui que plusieurs de ses rivières et de ses montagnes n'y ont pas encore de nom. La rivière sur le bord de laquelle ils étaient coule en bouillonnant sur un lit de roches. Le bruit de ses eaux effraya Virginie ; elle n'osa y mettre les pieds pour la passer à gué. Paul alors prit Virginie sur son dos, et passa ainsi chargé sur les roches glissantes de la rivière malgré le tumulte de ses eaux. « N'aie pas peur, lui disait-il ; je me sens bien fort avec toi. Si l'habitant de la Rivière-noire t'avait refusé la grâce de son esclave, je me serais battu avec lui. — Comment ! dit Virginie, avec cet homme si grand et si méchant ? À quoi t'ai-je exposé ! Mon Dieu ! qu'il est difficile de faire le bien ! il n'y a que le mal de facile à faire. » Quand Paul fut sur le rivage il voulut continuer sa route chargé de sa sœur, et il se flattait de monter ainsi la montagne des Trois-mamelles qu'il voyait devant lui à une demi-lieue de là ; mais bientôt les forces lui manquèrent, et il fut obligé de la mettre à terre, et de se reposer auprès d'elle. Virginie lui dit alors : « Mon frère, le jour baisse ; tu as encore des forces, et les miennes me manquent ; laisse-moi ici, et

---

* Il y a beaucoup de montagnes dont les sommets sont arrondis en forme de mamelles, et qui en portent le nom dans toutes les langues. Ce sont en effet de véritables mamelles ; car ce sont d'elles que découlent beaucoup de rivières et de ruisseaux qui répandent l'abondance sur la terre. Elles sont les sources des principaux fleuves qui l'arrosent, et elles fournissent constamment à leurs eaux en attirant sans cesse les nuages autour du piton de rocher qui les surmonte à leur centre comme un mamelon. Nous avons indiqué ces prévoyances admirables de la nature dans nos *Études* précédentes. [Note de l'auteur. Les *Études* dont parle Bernardin de Saint-Pierre dans sa note sont les *Études de la nature*, publiées à partir de 1784.]

retourne seul à notre case pour tranquilliser nos mères.
— Oh ! non, dit Paul, je ne te quitterai pas. Si la nuit nous
surprend dans ces bois, j'allumerai du feu, j'abattrai un palmiste, tu en mangeras le chou, et je ferai avec ses feuilles
un ajoupa[1], pour te mettre à l'abri. » Cependant Virginie,
s'étant un peu reposée, cueillit sur le tronc d'un vieux
arbre penché sur le bord de la rivière de longues feuilles
de scolopendre[2] qui pendaient de son tronc ; elle en fit
des espèces de brodequins[3] dont elle s'entoura les pieds,
que les pierres des chemins avaient mis en sang ; car dans
l'empressement d'être utile elle avait oublié de se chaus-
ser. Se sentant soulagée par la fraîcheur de ces feuilles, elle
rompit une branche de bambou et se mit en marche en
s'appuyant d'une main sur ce roseau, et de l'autre sur son
frère.

Ils cheminaient ainsi doucement à travers les bois ; mais
la hauteur des arbres et l'épaisseur de leurs feuillages leur
firent bientôt perdre de vue la montagne des Trois-mamelles sur laquelle ils se dirigeaient, et même le soleil qui était
déjà près de se coucher. Au bout de quelque temps ils
quittèrent sans s'en apercevoir le sentier frayé dans lequel
ils avaient marché jusqu'alors, et ils se trouvèrent dans un
labyrinthe d'arbres, de lianes, et de roches, qui n'avait plus
d'issue. Paul fit asseoir Virginie, et se mit à courir çà et là,
tout hors de lui, pour chercher un chemin hors de ce
fourré épais ; mais il se fatigua en vain. Il monta au haut
d'un grand arbre pour découvrir au moins la montagne des
Trois-mamelles ; mais il n'aperçut autour de lui que les
cimes des arbres, dont quelques-unes étaient éclairées par

---

1. Terme d'origine indienne désignant une hutte faite de brancha-
ges et de pieux.
2. Fougère.
3. Chausses lacées sur le dessus du pied.

les derniers rayons du soleil couchant. Cependant l'ombre des montagnes couvrait déjà les forêts dans les vallées ; le vent se calmait, comme il arrive au coucher du soleil ; un profond silence régnait dans ces solitudes, et on n'y entendait d'autre bruit que le bramement des cerfs qui venaient chercher leur gîte dans ces lieux écartés. Paul, dans l'espoir que quelque chasseur pourrait l'entendre, cria alors de toute sa force : « Venez, venez au secours de Virginie ! » mais les seuls échos de la forêt répondirent à sa voix, et répétèrent à plusieurs reprises : « Virginie… Virginie. »

Paul descendit alors de l'arbre, accablé de fatigue et de chagrin : il chercha les moyens de passer la nuit dans ce lieu ; mais il n'y avait ni fontaine, ni palmiste, ni même de branche de bois sec propre à allumer du feu. Il sentit alors par son expérience toute la faiblesse de ses ressources, et il se mit à pleurer. Virginie lui dit : « Ne pleure point, mon ami, si tu ne veux m'accabler de chagrin. C'est moi qui suis la cause de toutes tes peines, et de celles qu'éprouvent maintenant nos mères. Il ne faut rien faire, pas même le bien, sans consulter ses parents. Oh ! j'ai été bien imprudente ! » et elle se prit à verser des larmes. Cependant elle dit à Paul : « Prions Dieu, mon frère, et il aura pitié de nous. » À peine avaient-ils achevé leur prière qu'ils entendirent un chien aboyer. « C'est, dit Paul, le chien de quelque chasseur qui vient le soir tuer des cerfs à l'affût. » Peu après, les aboiements du chien redoublèrent. « Il me semble, dit Virginie, que c'est Fidèle, le chien de notre case ; oui, je reconnais sa voix : serions-nous si près d'arriver et au pied de notre montagne ? » En effet un moment après Fidèle était à leurs pieds, aboyant, hurlant, gémissant, et les accablant de caresses. Comme ils ne pouvaient revenir de leur surprise ils aperçurent Domingue qui accourait à eux. À l'arrivée de ce bon noir, qui pleurait de joie, ils se mirent aussi à pleurer sans pouvoir lui dire un mot. Quand

Domingue eut repris ses sens : « Ô mes jeunes maîtres, leur dit-il, que vos mères ont d'inquiétude ! comme elles ont été étonnées quand elles ne vous ont plus trouvés au retour de la messe où je les accompagnais ! Marie, qui travaillait dans un coin de l'habitation, n'a su nous dire où vous étiez allés. J'allais, je venais autour de l'habitation, ne sachant moi-même de quel côté vous chercher. Enfin j'ai pris vos vieux habits à l'un et à l'autre[*], je les ai fait flairer à Fidèle, et sur-le-champ, comme si ce pauvre animal m'eût entendu, il s'est mis à quêter sur vos pas ; il m'a conduit, toujours en remuant la queue, jusqu'à la Rivière-noire. C'est là où j'ai appris d'un habitant que vous lui aviez ramené une négresse marronne, et qu'il vous avait accordé sa grâce. Mais quelle grâce ! il me l'a montrée attachée, avec une chaîne au pied, à un billot de bois[1], et avec un collier de fer à trois crochets autour du cou. De là Fidèle, toujours quêtant, m'a mené sur le morne de la Rivière-noire, où il s'est arrêté encore en aboyant de toute sa force ; c'était sur le bord d'une source auprès d'un palmiste abattu, et près d'un feu qui fumait encore. Enfin il m'a conduit ici : nous sommes au pied de la montagne des Trois-mamelles, et il y a encore quatre bonnes lieues jusque chez nous. Allons, mangez, et prenez des forces. » Il leur présenta aussitôt un gâteau, des fruits, et une grande calebasse[2] remplie d'une liqueur composée d'eau, de vin, de jus de citron, de sucre et de muscade, que leurs mères avaient préparée pour les fortifier et les rafraîchir. Virginie

---

* Ce trait de sagacité du noir Domingue, et de son chien Fidèle, ressemble beaucoup à celui du sauvage Téwénissa et de son chien Oniah, rapporté par M. de Crèvecœur, dans son ouvrage, plein d'humanité, intitulé *Lettre (sic) d'un Cultivateur américain*. [Note de l'auteur]

1. Tronçon de bois gros et court.

2. Récipient formé par le fruit vidé et séché du calebassier (analogue à une grosse courge).

soupira au souvenir de la pauvre esclave, et des inquiétudes de leurs mères. Elle répéta plusieurs fois : « Oh qu'il
est difficile de faire le bien ! » Pendant que Paul et elle se
rafraîchissaient, Domingue alluma du feu, et ayant cherché
dans les rochers un bois tortu[1] qu'on appelle bois de
ronde, et qui brûle tout vert en jetant une grande flamme,
il en fit un flambeau qu'il alluma ; car il était déjà nuit. Mais
il éprouva un embarras bien plus grand quand il fallut se
mettre en route : Paul et Virginie ne pouvaient plus marcher ; leurs pieds étaient enflés et tout rouges. Domingue
ne savait s'il devait aller bien loin de là leur chercher du
secours, ou passer dans ce lieu la nuit avec eux. « Où est
le temps, leur disait-il, où je vous portais tous deux à la
fois dans mes bras ? mais maintenant vous êtes grands, et
je suis vieux. » Comme il était dans cette perplexité une
troupe de noirs marrons se fit voir à vingt pas de là. Le
chef de cette troupe, s'approchant de Paul et de Virginie,
leur dit : « Bons petits blancs, n'ayez pas peur ; nous vous
avons vus passer ce matin avec une négresse de la Rivière-
noire ; vous alliez demander sa grâce à son mauvais maître : en reconnaissance nous vous reporterons chez vous
sur nos épaules. » Alors il fit un signe, et quatre noirs marrons des plus robustes firent aussitôt un brancard avec des
branches d'arbres et des lianes, y placèrent Paul et Virginie, les mirent sur leurs épaules ; et Domingue marchant
devant eux avec son flambeau, ils se mirent en route aux
cris de joie de toute la troupe, qui les comblait de béné-
dictions. Virginie attendrie disait à Paul : « Oh, mon ami !
jamais Dieu ne laisse un bienfait sans récompense. »

Ils arrivèrent vers le milieu de la nuit au pied de leur
montagne, dont les croupes étaient éclairées de plusieurs

---

1. Forme ancienne du participe passé de « tordre » (tordu).

feux. À peine ils la montaient qu'ils entendirent des voix qui criaient : « Est-ce vous, mes enfants ? » Ils répondirent avec les noirs : « Oui, c'est nous » ; et bientôt ils aperçurent leurs mères et Marie qui venaient au-devant d'eux avec des tisons flambants. « Malheureux enfants, dit madame de la Tour, d'où venez-vous ? dans quelles angoisses vous nous avez jetées ! — Nous venons, dit Virginie, de la Rivière-noire demander la grâce d'une pauvre esclave marronne, à qui j'ai donné ce matin le déjeuner de la maison, parce qu'elle mourait de faim ; et voilà que les noirs marrons nous ont ramenés. » Madame de la Tour embrassa sa fille sans pouvoir parler ; et Virginie, qui sentit son visage mouillé des larmes de sa mère, lui dit : « Vous me payez de tout le mal que j'ai souffert ! » Marguerite, ravie de joie, serrait Paul dans ses bras, et lui disait : « Et toi aussi, mon fils, tu as fait une bonne action. » Quand elles furent arrivées dans leur case avec leurs enfants elles donnèrent bien à manger aux noirs marrons, qui s'en retournèrent dans leurs bois en leur souhaitant toute sorte de prospérités.

Chaque jour était pour ces familles un jour de bonheur et de paix. Ni l'envie ni l'ambition ne les tourmentaient. Elles ne désiraient point au-dehors une vaine réputation que donne l'intrigue, et qu'ôte la calomnie ; il leur suffisait d'être à elles-mêmes leurs témoins et leurs juges. Dans cette île, où, comme dans toutes les colonies européennes, on n'est curieux que d'anecdotes malignes, leurs vertus et même leurs noms étaient ignorés ; seulement quand un passant demandait sur le chemin des Pamplemousses à quelques habitants de la plaine : « Qui est-ce qui demeure là-haut dans ces petites cases ? » ceux-ci répondaient sans les connaître : « Ce sont de bonnes gens. » Ainsi des violettes, sous des buissons épineux, exhalent au loin leurs doux parfums, quoiqu'on ne les voie pas.

Elles avaient banni de leurs conversations la médisance,

qui, sous une apparence de justice, dispose nécessairement le cœur à la haine ou à la fausseté ; car il est impossible de ne pas haïr les hommes si on les croit méchants, et de vivre avec les méchants si on ne leur cache sa haine sous de fausses apparences de bienveillance. Ainsi la médisance nous oblige d'être mal avec les autres ou avec nous-mêmes. Mais, sans juger des hommes en particulier, elles ne s'entretenaient que des moyens de faire du bien à tous en général ; et quoiqu'elles n'en eussent pas le pouvoir, elles en avaient une volonté perpétuelle qui les remplissait d'une bienveillance toujours prête à s'étendre au-dehors. En vivant donc dans la solitude, loin d'être sauvages, elles étaient devenues plus humaines. Si l'histoire scandaleuse de la société ne fournissait point de matière à leurs conversations, celle de la nature les remplissait de ravissement et de joie. Elles admiraient avec transport le pouvoir d'une providence qui par leurs mains avait répandu au milieu de ces arides rochers l'abondance, les grâces, les plaisirs purs, simples, et toujours renaissants.

Paul, à l'âge de douze ans, plus robuste et plus intelligent que les Européens à quinze, avait embelli ce que le noir Domingue ne faisait que cultiver. Il allait avec lui dans les bois voisins déraciner de jeunes plants de citronniers, d'orangers, de tamarins dont la tête ronde est d'un si beau vert, et d'attiers[1] dont le fruit est plein d'une crème sucrée qui a le parfum de la fleur d'orange : il plantait ces arbres déjà grands autour de cette enceinte. Il y avait semé des graines d'arbres qui dès la seconde année portent des fleurs ou des fruits, tels que l'agathis[2], où pendent tout autour, comme les cristaux d'un lustre, de longues grappes de fleurs blanches ; le lilas de Perse, qui élève droit en l'air ses

_____

1. Arbres tropicaux.
2. Conifère.

girandoles[1] gris de lin ; le papayer, dont le tronc sans branches, formé en colonne hérissée de melons verts, porte un chapiteau de larges feuilles semblables à celle du figuier.

Il y avait planté encore des pépins et des noyaux de badamiers[2], de manguiers, d'avocats, de goyaviers, de jaques[3] et de jameroses[4]. La plupart de ces arbres donnaient déjà à leur jeune maître de l'ombrage et des fruits. Sa main laborieuse avait répandu la fécondité jusque dans les lieux les plus stériles de cet enclos. Diverses espèces d'aloès[5], la raquette chargée de fleurs jaunes fouettées de rouge, les cierges épineux, s'élevaient sur les têtes noires des roches, et semblaient vouloir atteindre aux longues lianes, chargées de fleurs bleues ou écarlates, qui pendaient çà et là le long des escarpements de la montagne.

Il avait disposé ces végétaux de manière qu'on pouvait jouir de leur vue d'un seul coup d'œil. Il avait planté au milieu de ce bassin les herbes qui s'élèvent peu, ensuite les arbrisseaux, puis les arbres moyens, et enfin les grands arbres qui en bordaient la circonférence ; de sorte que ce vaste enclos paraissait de son centre comme un amphithéâtre de verdure, de fruits et de fleurs, renfermant des plantes potagères, des lisières de prairies, et des champs de riz et de blé. Mais en assujettissant ces végétaux à son plan, il ne s'était pas écarté de celui de la nature ; guidé par ses indications, il avait mis dans les lieux élevés ceux dont les semences sont volatiles, et sur le bord des eaux ceux dont les graines sont faites pour flotter : ainsi chaque

---

1. Feuilles disposées en bouquet, en couronne ou en faisceau.
2. Grands arbres tropicaux.
3. Fruits du jacquier, arbre tropical aux fruits comestibles.
4. Fruits du jamerosier ou jambosier, arbre à grandes fleurs et à grosses baies rouges comestibles sentant la rose.
5. Plante des climats chauds, aux feuilles pointues et charnues.

végétal croissait dans son site propre et chaque site recevait de son végétal sa parure naturelle. Les eaux qui descendent du sommet de ces roches formaient au fond du vallon, ici des fontaines, là de larges miroirs qui répétaient au milieu de la verdure les arbres en fleurs, les rochers, et l'azur des cieux.

Malgré la grande irrégularité de ce terrain toutes ces plantations étaient pour la plupart aussi accessibles au toucher qu'à la vue : à la vérité nous l'aidions tous de nos conseils et de nos secours pour en venir à bout. Il avait pratiqué un sentier qui tournait autour de ce bassin et dont plusieurs rameaux venaient se rendre de la circonférence au centre. Il avait tiré parti des lieux les plus raboteux, et accordé par la plus heureuse harmonie la facilité de la promenade avec l'aspérité du sol, et les arbres domestiques avec les sauvages. De cette énorme quantité de pierres roulantes qui embrasse maintenant ces chemins ainsi que la plupart du terrain de cette île, il avait formé çà et là des pyramides, dans les assises desquelles il avait mêlé de la terre et des racines de rosiers, de poincillades[1], et d'autres arbrisseaux qui se plaisent dans les roches ; en peu de temps ces pyramides sombres et brutes furent couvertes de verdure, ou de l'éclat des plus belles fleurs. Les ravins bordés de vieux arbres inclinés sur les bords formaient des souterrains voûtés inaccessibles à la chaleur, où l'on allait prendre le frais pendant le jour. Un sentier conduisait dans un bosquet d'arbres sauvages, au centre duquel croissait à l'abri des vents un arbre domestique chargé de fruits[2]. Là était une moisson, ici un verger. Par cette avenue on apercevait les maisons ; par cette autre, les sommets inaccessibles de la montagne. Sous un bocage touffu de tatama-

---

1. Sorte de ronce.
2. Arbre fruitier.

ques[1] entrelacés de lianes on ne distinguait en plein midi
aucun objet ; sur la pointe de ce grand rocher voisin qui sort
de la montagne on découvrait tous ceux de cet enclos,
avec la mer au loin, où apparaissait quelquefois un vaisseau
qui venait de l'Europe, ou qui y retournait. C'était sur ce
rocher que ces familles se rassemblaient le soir, et jouis-
saient en silence de la fraîcheur de l'air, du parfum des fleurs,
du murmure des fontaines, et des dernières harmonies de
la lumière et des ombres.

Rien n'était plus agréable que les noms donnés à la plupart des retraites charmantes de ce labyrinthe. Ce rocher
dont je viens de vous parler, d'où l'on me voyait venir de
bien loin, s'appelait la DÉCOUVERTE DE L'AMITIÉ. Paul et
Virginie, dans leurs jeux, y avaient planté un bambou, au
haut duquel ils élevaient un petit mouchoir blanc pour
signaler mon arrivée dès qu'ils m'apercevaient, ainsi qu'on
élève un pavillon sur la montagne voisine, à la vue d'un
vaisseau en mer. L'idée me vint de graver une inscription
sur la tige de ce roseau. Quelque plaisir que j'aie eu dans
mes voyages à voir une statue ou un monument de l'antiquité, j'en ai encore davantage à lire une inscription bien
faite ; il me semble alors qu'une voix humaine sorte de la
pierre, se fasse entendre à travers les siècles, et s'adressant
à l'homme au milieu des déserts, lui dise qu'il n'est pas seul,
et que d'autres hommes dans ces mêmes lieux ont senti,
pensé, et souffert comme lui : que si cette inscription est
de quelque nation ancienne qui ne subsiste plus, elle étend
notre âme dans les champs de l'infini, et lui donne le sentiment de son immortalité, en lui montrant qu'une pensée a
survécu à la ruine même d'un empire.

J'écrivis donc sur le petit mât de pavillon de Paul et Virginie ces vers d'Horace :

---

1. Arbres exotiques qui fournissent de la résine.

> *... Fratres Helenœ, lucida sidera,*
> *Ventorumque regat pater,*
> *Obstrictis aliis, prœter iapyga.*

« Que les frères d'Hélène, astres charmants comme vous, et que le père des vents vous dirigent, et ne fassent souffler que le zéphyr. »

Je gravai ce vers de Virgile sur l'écorce d'un tatamaque, à l'ombre duquel Paul s'asseyait quelquefois pour regarder au loin la mer agitée :

> *Fortunatus et ille deos qui novit agrestes !*

« Heureux, mon fils, de ne connaître que les divinités champêtres ! »

Et cet autre, au-dessus de la porte de la cabane de madame de la Tour, qui était leur lieu d'assemblée :

> *At secura quies, et nescia fallere vita.*

« Ici est une bonne conscience, et une vie qui ne sait pas tromper. »

Mais Virginie n'approuvait point mon latin ; elle disait que ce que j'avais mis au pied de sa girouette était trop long et trop savant : « J'eusse mieux aimé, ajoutait-elle, TOUJOURS AGITÉE, MAIS CONSTANTE. — Cette devise, lui répondis-je, conviendrait encore mieux à la vertu. » Ma réflexion la fit rougir.

Ces familles heureuses étendaient leurs âmes sensibles à tout ce qui les environnait. Elles avaient donné les noms les plus tendres aux objets en apparence les plus indifférents. Un cercle d'orangers, de bananiers et de jameroses plantés autour d'une pelouse, au milieu de laquelle Virginie

et Paul allaient quelquefois danser, se nommait LA CON-
CORDE. Un vieux arbre, à l'ombre duquel madame de la
Tour et Marguerite s'étaient raconté leurs malheurs, s'appelait LES PLEURS ESSUYÉS. Elles faisaient porter les noms de
BRETAGNE et de NORMANDIE à de petites portions de
terre où elles avaient semé du blé, des fraises et des pois.
Domingue et Marie désirant, à l'imitation de leurs maîtresses, se rappeler les lieux de leur naissance en Afrique, appelaient ANGOLA et FOULLEPOINTE[1] deux endroits où
croissait l'herbe dont ils faisaient des paniers, et où ils
avaient planté un calebassier. Ainsi, par ces productions de
leurs climats, ces familles expatriées entretenaient les douces illusions de leur pays et en calmaient les regrets dans
une terre étrangère. Hélas ! j'ai vu s'animer de mille appel-
lations charmantes les arbres, les fontaines, les rochers de
ce lieu maintenant si bouleversé, et qui, semblable à un champ
de la Grèce, n'offre plus que des ruines et des noms touchants.

Mais de tout ce que renfermait cette enceinte rien n'était
plus agréable que ce qu'on appelait le REPOS DE VIRGI-
NIE. Au pied du rocher la DÉCOUVERTE DE L'AMITIÉ est
un enfoncement d'où sort une fontaine, qui forme dès sa
source une petite flaque d'eau, au milieu d'un pré d'une
herbe fine. Lorsque Marguerite eut mis Paul au monde je
lui fis présent d'un coco des Indes qu'on m'avait donné.
Elle planta ce fruit sur le bord de cette flaque d'eau, afin
que l'arbre qu'il produirait servît un jour d'époque à la
naissance de son fils. Madame de la Tour, à son exemple,
y en planta un autre dans une semblable intention dès

---

1. L'Angola est un pays d'Afrique et Foullepointe une petite ville
de Madagascar. On remarquera que Bernardin semble ici incohérent,
car Domingue a été plus haut présenté comme wolof, soit originaire
d'une région correspondant au Sénégal, et non à l'Angola.

qu'elle fut accouchée de Virginie. Il naquit de ces deux
fruits deux cocotiers, qui formaient toutes les archives de
ces deux familles ; l'un se nommait l'arbre de Paul, et
l'autre, l'arbre de Virginie. Ils crûrent tous deux, dans la
même proportion que leurs jeunes maîtres, d'une hauteur
un peu inégale, mais qui surpassait au bout de douze ans
celle de leurs cabanes. Déjà ils entrelaçaient leurs palmes,
et laissaient pendre leurs jeunes grappes de cocos au-dessus du bassin de la fontaine. Excepté cette plantation on
avait laissé cet enfoncement du rocher tel que la nature
l'avait orné. Sur ses flancs bruns et humides rayonnaient en
étoiles vertes et noires de larges capillaires, et flottaient au
gré des vents des touffes de scolopendres suspendues
comme de longs rubans d'un vert pourpré. Près de là
croissaient des lisières de pervenche[1], dont les fleurs sont
presque semblables à celles de la giroflée rouge, et des
piments, dont les gousses couleur de sang sont plus écla-
tantes que le corail. Aux environs, l'herbe de baume, dont
les feuilles sont en cœur, et les basilics à odeur de girofle,
exhalaient les plus doux parfums. Du haut de l'escarpement de la montagne pendaient des lianes semblables à des
draperies flottantes, qui formaient sur les flancs des
rochers de grandes courtines de verdure. Les oiseaux de
mer, attirés par ces retraites paisibles, y venaient passer la
nuit. Au coucher du soleil on y voyait voler le long des
rivages de la mer le corbigeau[2] et l'alouette marine, et au
haut des airs la noire frégate, avec l'oiseau blanc du tropique, qui abandonnaient, ainsi que l'astre du jour, les solitudes de l'océan Indien. Virginie aimait à se reposer sur les
bords de cette fontaine, décorée d'une pompe[3] à la fois

---

1. Plante fleurie des sous-bois.
2. Oiseau aussi nommé courlis.
3. Éclat fastueux.

magnifique et sauvage. Souvent elle y venait laver le linge de la famille à l'ombre des deux cocotiers. Quelquefois elle y menait paître ses chèvres. Pendant qu'elle préparait des fromages avec leur lait, elle se plaisait à leur voir brouter les capillaires[1] sur les flancs escarpés de la roche, et se tenir en l'air sur une de ses corniches comme sur un piédestal. Paul, voyant que ce lieu était aimé de Virginie, y apporta de la forêt voisine des nids de toute sorte d'oiseaux. Les pères et les mères de ces oiseaux suivirent leurs petits, et vinrent s'établir dans cette nouvelle colonie. Virginie leur distribuait de temps en temps des grains de riz, de maïs et de millet : dès qu'elle paraissait, les merles siffleurs, les bengalis[2], dont le ramage est si doux, les cardinaux, dont le plumage est couleur de feu, quittaient leurs buissons ; des perruches vertes comme des émeraudes descendaient des lataniers voisins ; des perdrix accouraient sous l'herbe : tous s'avançaient pêle-mêle jusqu'à ses pieds comme des poules. Paul et elle s'amusaient avec transport de leurs jeux, de leurs appétits, et de leurs amours.

Aimables enfants, vous passiez ainsi dans l'innocence vos premiers jours en vous exerçant aux bienfaits ! Combien de fois dans ce lieu vos mères, vous serrant dans leurs bras, bénissaient le ciel de la consolation que vous prépariez à leur vieillesse, et de vous voir entrer dans la vie sous de si heureux auspices ! Combien de fois, à l'ombre de ces rochers, ai-je partagé avec elles vos repas champêtres qui n'avaient coûté la vie à aucun animal ! des calebasses pleines de lait, des œufs frais, des gâteaux de riz sur des feuilles de bananier, des corbeilles chargées de patates, de

---

1. Petites fougères.
2. Le bengali est un petit oiseau au plumage bleu et brun, originaire des Indes. Le cardinal est un oiseau de la même famille, au plumage rouge.

mangues, d'oranges, de grenades, de bananes, de dattes, d'ananas, offraient à la fois les mets les plus sains, les couleurs les plus gaies, et les sucs les plus agréables.

La conversation était aussi douce et aussi innocente que ces festins : Paul y parlait souvent des travaux du jour et de ceux du lendemain. Il méditait toujours quelque chose d'utile pour la société. Ici les sentiers n'étaient pas commodes ; là on était mal assis ; ces jeunes berceaux[1] ne donnaient pas assez d'ombrage ; Virginie serait mieux là.

Dans la saison pluvieuse ils passaient le jour tous ensemble dans la case, maîtres et serviteurs, occupés à faire des nattes d'herbes et des paniers de bambou. On voyait rangés dans le plus grand ordre aux parois de la muraille des râteaux, des haches, des bêches ; et auprès de ces instruments de l'agriculture les productions qui en étaient les fruits, des sacs de riz, des gerbes de blé, et des régimes de bananes. La délicatesse s'y joignait toujours à l'abondance. Virginie, instruite par Marguerite et par sa mère, y préparait des sorbets et des cordiaux[2] avec le jus des cannes à sucre, des citrons et des cédrats.

La nuit venue, ils soupaient à la lueur d'une lampe ; ensuite madame de la Tour ou Marguerite racontait quelques histoires de voyageurs égarés la nuit dans les bois de l'Europe infestés de voleurs, ou le naufrage de quelque vaisseau jeté par la tempête sur les rochers d'une île déserte. À ces récits les âmes sensibles de leurs enfants s'enflammaient ; ils priaient le ciel de leur faire la grâce d'exercer quelque jour l'hospitalité envers de semblables malheureux. Cependant les deux familles se séparaient pour aller prendre du repos, dans l'impatience de se revoir le lendemain. Quelquefois elles s'endormaient au bruit de

---

1. Voûtes de feuillage.
2. Un cordial est une boisson tonifiante.

la pluie qui tombait par torrents sur la couverture de leurs cases, ou à celui des vents qui leur apportaient le murmure lointain des flots qui se brisaient sur le rivage. Elles bénissaient Dieu de leur sécurité personnelle, dont le sentiment redoublait par celui du danger éloigné.

De temps en temps madame de la Tour lisait publiquement quelque histoire touchante de l'Ancien ou du Nouveau Testament. Ils raisonnaient peu sur ces livres sacrés ; car leur théologie était toute en sentiment, comme celle de la nature, et leur morale toute en action, comme celle de l'Évangile. Ils n'avaient point de jours destinés aux plaisirs et d'autres à la tristesse. Chaque jour était pour eux un jour de fête, et tout ce qui les environnait un temple divin, où ils admiraient sans cesse une Intelligence infinie, toute-puissante, et amie des hommes ; ce sentiment de confiance dans le pouvoir suprême les remplissait de consolation pour le passé, de courage pour le présent, et d'espérance pour l'avenir. Voilà comme ces femmes, forcées par le malheur de rentrer dans la nature, avaient développé en elles-mêmes et dans leurs enfants ces sentiments que donne la nature pour nous empêcher de tomber dans le malheur.

Mais comme il s'élève quelquefois dans l'âme la mieux réglée des nuages qui la troublent, quand quelque membre de leur société paraissait triste, tous les autres se réunissaient autour de lui, et l'enlevaient aux pensées amères, plus par des sentiments que par des réflexions. Chacun y employait son caractère particulier ; Marguerite, une gaieté vive ; madame de la Tour, une théologie douce ; Virginie, des caresses tendres ; Paul, de la franchise et de la cordialité ; Marie et Domingue même venaient à son secours. Ils s'affligeaient s'ils le voyaient affligé, et ils pleuraient s'ils le voyaient pleurer. Ainsi des plantes faibles s'entrelacent ensemble pour résister aux ouragans.

Dans la belle saison ils allaient tous les dimanches à la messe à l'église des Pamplemousses dont vous voyez le clocher là-bas dans la plaine. Il y venait des habitants riches, en palanquin[1], qui s'empressèrent plusieurs fois de faire la connaissance de ces familles si unies, et de les inviter à des parties de plaisir. Mais elles repoussèrent toujours leurs offres avec honnêteté et respect, persuadées que les gens puissants ne recherchent les faibles que pour avoir des complaisants, et qu'on ne peut être complaisant qu'en flattant les passions d'autrui, bonnes et mauvaises. D'un autre côté elles n'évitaient pas avec moins de soin l'accointance des petits habitants pour l'ordinaire jaloux, médisants et grossiers. Elles passèrent d'abord auprès des uns pour timides, et auprès des autres pour fières ; mais leur conduite réservée était accompagnée de marques de politesse si obligeantes, surtout envers les misérables, qu'elles acquirent insensiblement le respect des riches et la confiance des pauvres.

Après la messe on venait souvent les requérir de quelque bon office. C'était une personne affligée qui leur demandait des conseils, ou un enfant qui les priait de passer chez sa mère malade dans un des quartiers voisins. Elles portaient toujours avec elles quelques recettes utiles aux maladies ordinaires aux habitants, et elles y joignaient la bonne grâce, qui donne tant de prix aux petits services. Elles réussissaient surtout à bannir les peines de l'esprit, si intolérables dans la solitude et dans un corps infirme. Madame de la Tour parlait avec tant de confiance de la Divinité que le malade en l'écoutant la croyait présente. Virginie revenait bien souvent de là les yeux humides de larmes, mais le cœur rempli de joie, car elle avait eu l'occasion de faire du

---

1. Chaise ou litière portée à bras d'hommes.

bien. C'était elle qui préparait d'avance les remèdes nécessaires aux malades, et qui les leur présentait avec une
grâce ineffable. Après ces visites d'humanité, elles prolon-
geaient quelquefois leur chemin par la vallée de la Montagne-longue jusque chez moi, où je les attendais à dîner sur
les bords de la petite rivière qui coule dans mon voisinage.
Je me procurais pour ces occasions quelques bouteilles de
vin vieux, afin d'augmenter la gaieté de nos repas indiens
par ces douces et cordiales productions de l'Europe. D'autres
fois nous nous donnions rendez-vous sur les bords de la
mer, à l'embouchure de quelques autres petites rivières,
qui ne sont guère ici que de grands ruisseaux : nous y
apportions de l'habitation des provisions végétales que
nous joignions à celles que la mer nous fournissait en
abondance. Nous pêchions sur ses rivages des cabots[1], des
polypes[2], des rougets, des langoustes, des chevrettes,
des crabes, des oursins, des huîtres, et des coquillages de
toute espèce. Les sites les plus terribles nous procuraient
souvent les plaisirs les plus tranquilles. Quelquefois, assis
sur un rocher, à l'ombre d'un veloutier[3], nous voyions
les flots du large venir se briser à nos pieds avec un horrible fracas. Paul, qui nageait d'ailleurs comme un poisson,
s'avançait quelquefois sur les récifs au-devant des lames,
puis à leur approche il fuyait sur le rivage devant leurs
grandes volutes écumeuses et mugissantes qui le poursui-
vaient bien avant sur la grève. Mais Virginie à cette vue
jetait des cris perçants, et disait que ces jeux-là lui faisaient
grand-peur.

  Nos repas étaient suivis des chants et des danses de
ces deux jeunes gens. Virginie chantait le bonheur de la vie

---

1. Cabot ou chabot : poisson.
2. Animaux aquatiques au corps gélatineux.
3. Arbuste qui pousse sur le haut des plages.

champêtre, et les malheurs des gens de mer que l'avarice porte à naviguer sur un élément furieux, plutôt que de cultiver la terre, qui donne paisiblement tant de biens. Quelquefois, à la manière des noirs, elle exécutait avec Paul une pantomime[1]. La pantomime est le premier langage de l'homme ; elle est connue de toutes les nations ; elle est si naturelle et si expressive que les enfants des blancs ne tardent pas à l'apprendre dès qu'ils ont vu ceux des noirs s'y exercer. Virginie se rappelant, dans les lectures que lui faisait sa mère, les histoires qui l'avaient le plus touchée, en rendait les principaux événements avec beaucoup de naïveté. Tantôt, au son du tam-tam de Domingue, elle se présentait sur la pelouse, portant une cruche sur sa tête ; elle s'avançait avec timidité à la source d'une fontaine voisine pour y puiser de l'eau. Domingue et Marie, représentant les bergers de Madian, lui en défendaient l'approche et feignaient de la repousser. Paul accourait à son secours, battait les bergers, remplissait la cruche de Virginie, et en la lui posant sur la tête il lui mettait en même temps une couronne de fleurs rouges de pervenche qui relevait la blancheur de son teint. Alors, me prêtant à leurs jeux, je me chargeais du personnage de Raguel, et j'accordais à Paul ma fille Séphora en mariage[2].

Une autre fois elle représentait l'infortunée Ruth qui retourne veuve et pauvre dans son pays, où elle se trouve étrangère après une longue absence. Domingue et Marie

---

1. Art de s'exprimer par le mime, la danse, le geste, sans passer par le langage.
2. La scène renvoie à un épisode de l'Ancien Testament (Exode, 2, 16) se passant dans le pays de Madian (dans le désert au nord de la péninsule Arabique), dans lequel sept jeunes filles venant puiser de l'eau au puits sont chassées par des bergers que repousse Moïse. Le père des filles, le prince madianite Raguel, le remercie en lui donnant sa fille Séphora pour épouse.

contrefaisaient les moissonneurs. Virginie feignait de glaner
çà et là sur leurs pas quelques épis de blé. Paul, imitant la
gravité d'un patriarche, l'interrogeait ; elle répondait en
tremblant à ses questions. Bientôt ému de pitié il accordait
l'hospitalité à l'innoncence, et un asile à l'infortune ; il remplissait le tablier de Virginie de toutes sortes de provisions,
et l'amenait devant nous, comme devant les anciens de la
ville, en déclarant qu'il la prenait en mariage malgré son
indigence[1]. Madame de la Tour, à cette scène, venant à se
rappeler l'abandon où l'avaient laissée ses propres parents,
son veuvage, la bonne réception que lui avait faite Marguerite, suivie maintenant de l'espoir d'un mariage heureux
entre leurs enfants, ne pouvait s'empêcher de pleurer ; et
ce souvenir confus de maux et de biens nous faisait verser
à tous des larmes de douleur et de joie.

Ces drames étaient rendus avec tant de vérité qu'on se
croyait transporté dans les champs de la Syrie ou de la
Palestine. Nous ne manquions point de décorations, d'illu-
minations et d'orchestre convenables à ce spectacle. Le
lieu de la scène était pour l'ordinaire au carrefour d'une
forêt dont les percées formaient autour de nous plusieurs
arcades de feuillage : nous étions à leur centre abrités de
la chaleur pendant toute la journée ; mais quand le soleil
était descendu à l'horizon, ses rayons, brisés par les troncs
des arbres, divergeaient dans les ombres de la forêt en
longues gerbes lumineuses qui produisaient le plus majes-
tueux effet. Quelquefois son disque tout entier paraissait à
l'extrémité d'une avenue et la rendait toute étincelante de
lumière. Le feuillage des arbres, éclairés en dessous de ses
rayons safranés, brillait des feux de la topaze et de l'éme-
raude ; leurs troncs mousseux et bruns paraissaient chan-

---

1. L'épisode où Ruth est recueillie par Booz, riche propriétaire
terrien, est raconté dans l'Ancien Testament, livre de Ruth.

gés en colonnes de bronze antique ; et les oiseaux déjà
retirés en silence sous la sombre feuillée pour y passer la
nuit, surpris de revoir une seconde aurore, saluaient tous
à la fois l'astre du jour par mille et mille chansons.

La nuit nous surprenait bien souvent dans ces fêtes
champêtres ; mais la pureté de l'air et la douceur du climat
nous permettaient de dormir sous un ajoupa, au milieu des
bois, sans craindre d'ailleurs les voleurs ni de près ni de
loin. Chacun le lendemain retournait dans sa case, et la
retrouvait dans l'état où il l'avait laissée. Il y avait alors tant
de bonne foi et de simplicité dans cette île sans commerce,
que les portes de beaucoup de maisons ne fermaient point
à la clef, et qu'une serrure était un objet de curiosité pour
plusieurs Créoles.

Mais il y avait dans l'année des jours qui étaient pour
Paul et Virginie des jours de plus grandes réjouissances ;
c'étaient les fêtes de leurs mères. Virginie ne manquait
pas la veille de pétrir et de cuire des gâteaux de farine de
froment, qu'elle envoyait à de pauvres familles de blancs, nées
dans l'île, qui n'avaient jamais mangé de pain d'Europe, et
qui sans aucun secours de noirs, réduites à vivre de manioc[1]
au milieu des bois, n'avaient pour supporter la pauvreté ni
la stupidité[2] qui accompagne l'esclavage, ni le courage qui
vient de l'éducation. Ces gâteaux étaient les seuls présents
que Virginie pût faire de l'aisance de l'habitation ; mais elle
y joignait une bonne grâce qui leur donnait un grand prix.
D'abord c'était Paul qui était chargé de les porter lui-même
à ces familles, et elles s'engageaient en les recevant de venir
le lendemain passer la journée chez madame de la Tour et
Marguerite. On voyait alors arriver une mère de famille avec
deux ou trois misérables filles, jaunes, maigres et si timides

---

1. Le manioc est un arbuste dont la racine se consomme.
2. Privation d'esprit et de jugement.

qu'elles n'osaient lever les yeux. Virginie les mettait bientôt à leur aise ; elle leur servait des rafraîchissements, dont
elle relevait la bonté par quelque circonstance particulière
qui en augmentait selon elle l'agrément. Cette liqueur avait
été préparée par Marguerite, cette autre par sa mère ; son
frère avait cueilli lui-même ce fruit au haut d'un arbre. Elle
engageait Paul à les faire danser. Elle ne les quittait point
qu'elle ne les vît contentes et satisfaites ; elle voulait
qu'elles fussent joyeuses de la joie de sa famille. « On ne
fait son bonheur, disait-elle, qu'en s'occupant de celui des
autres. » Quand elles s'en retournaient elle les engageait
d'emporter ce qui paraissait leur avoir fait plaisir, couvrant
la nécessité d'agréer ses présents du prétexte de leur nou-
veauté ou de leur singularité. Si elle remarquait trop de
délabrement dans leurs habits, elle choisissait, avec l'agrément de sa mère, quelques-uns des siens, et elle chargeait
Paul d'aller secrètement les déposer à la porte de leurs
cases. Ainsi elle faisait le bien, à l'exemple de la Divinité,
cachant la bienfaitrice, et montrant le bienfait.

Vous autres Européens, dont l'esprit se remplit dès
l'enfance de tant de préjugés contraires au bonheur, vous
ne pouvez concevoir que la nature puisse donner tant de
lumières et de plaisirs. Votre âme, circonscrite dans une
petite sphère de connaissances humaines, atteint bientôt le
terme de ses jouissances artificielles : mais la nature et le
cœur sont inépuisables. Paul et Virginie n'avaient ni hor-
loges, ni almanachs, ni livres de chronologie, d'histoire, et
de philosophie. Les périodes de leur vie se réglaient sur
celles de la nature. Ils connaissaient les heures du jour par
l'ombre des arbres ; les saisons, par les temps où ils donnent leurs fleurs ou leurs fruits ; et les années, par le nombre de leurs récoltes. Ces douces images répandaient
les plus grands charmes dans leurs conversations. « Il est
temps de dîner, disait Virginie à la famille, les ombres des

bananiers sont à leurs pieds » ; ou bien : « La nuit s'approche, les tamarins ferment leurs feuilles. — Quand viendrez-vous nous voir ? lui disaient quelques amies du voisinage. — Aux cannes de sucre, répondait Virginie. — Votre visite nous sera encore plus douce et plus agréable, reprenaient ces jeunes filles. » Quand on l'interrogeait sur son âge et sur celui de Paul : « Mon frère, disait-elle, est de l'âge du grand cocotier de la fontaine, et moi de celui du plus petit. Les manguiers ont donné douze fois leurs fruits, et les orangers vingt-quatre fois leurs fleurs depuis que je suis au monde. » Leur vie semblait attachée à celle des arbres comme celles des faunes[1] et des dryades[2] : ils ne connaissaient d'autres époques historiques que celles de la vie de leurs mères, d'autre chronologie que celle de leurs vergers, et d'autre philosophie que de faire du bien à tout le monde, et de se résigner à la volonté de Dieu.

Après tout qu'avaient besoin ces jeunes gens d'être riches et savants à notre manière ? leurs besoins et leur ignorance ajoutaient encore à leur félicité. Il n'y avait point de jour qu'ils ne se communiquassent quelques secours ou quelques lumières : oui, des lumières ; et quand il s'y serait mêlé quelques erreurs, l'homme pur n'en a point de dangereuses à craindre. Ainsi croissaient ces deux enfants de la nature. Aucun souci n'avait ridé leur front, aucune intempérance n'avait corrompu leur sang, aucune passion malheureuse n'avait dépravé leur cœur : l'amour, l'innocence, la piété, développaient chaque jour la beauté de leur âme en grâces ineffables, dans leurs traits, leurs attitudes et leurs mouvements. Au matin de la vie, ils en avaient toute la fraîcheur : tels dans le jardin d'Éden parurent nos premiers parents lorsque, sortant des mains de Dieu, ils se

---

1. Divinités mythologiques champêtres, à l'image de Pan.
2. Nymphes des forêts.

virent, s'approchèrent, et conversèrent d'abord comme frère et comme sœur. Virginie, douce, modeste, confiante comme Ève ; et Paul, semblable à Adam, ayant la taille d'un homme avec la simplicité d'un enfant.

Quelquefois seul avec elle (il me l'a mille fois raconté), il lui disait au retour de ses travaux : « Lorsque je suis fatigué ta vue me délasse. Quand du haut de la montagne je t'aperçois au fond de ce vallon, tu me parais au milieu de nos vergers comme un bouton de rose. Si tu marches vers la maison de nos mères, la perdrix qui court vers ses petits a un corsage[1] moins beau et une démarche moins légère. Quoique je te perde de vue à travers les arbres, je n'ai pas besoin de te voir pour te retrouver ; quelque chose de toi que je ne puis dire reste pour moi dans l'air où tu passes, sur l'herbe où tu t'assieds. Lorsque je t'approche, tu ravis tous mes sens. L'azur du ciel est moins beau que le bleu de tes yeux ; le chant des bengalis, moins doux que le son de ta voix. Si je te touche seulement du bout du doigt, tout mon corps frémit de plaisir. Souviens-toi du jour où nous passâmes à travers les cailloux roulants de la rivière des Trois-mamelles. En arrivant sur ses bords j'étais déjà bien fatigué ; mais quand je t'eus prise sur mon dos il me semblait que j'avais des ailes comme un oiseau. Dis-moi par quel charme tu as pu m'enchanter. Est-ce par ton esprit ? mais nos mères en ont plus que nous deux. Est-ce par tes caresses ? mais elles m'embrassent plus souvent que toi. Je crois que c'est par ta bonté. Je n'oublierai jamais que tu as marché nu-pieds jusqu'à la Rivière-noire pour demander la grâce d'une pauvre esclave fugitive. Tiens, ma bien-aimée, prends cette branche fleurie de citronnier que j'ai cueillie dans la forêt ; tu la mettras la

---

1. Le corsage désigne alors la partie du corps humain qui va des épaules aux hanches.

nuit près de ton lit. Mange ce rayon de miel ; je l'ai pris pour toi au haut d'un rocher. Mais auparavant repose-toi sur mon sein, et je serai délassé. »

Virginie lui répondait : « Ô mon frère ! les rayons du soleil au matin, au haut de ces rochers, me donnent moins de joie que ta présence. J'aime bien ma mère, j'aime bien la tienne ; mais quand elles t'appellent mon fils je les aime encore davantage. Les caresses qu'elles te font me sont plus sensibles que celles que j'en reçois. Tu me demandes pourquoi tu m'aimes ; mais tout ce qui a été élevé ensemble s'aime. Vois nos oiseaux ; élevés dans les mêmes nids, ils s'aiment comme nous ; ils sont toujours ensemble comme nous. Écoute comme ils s'appellent et se répondent d'un arbre à l'autre : de même quand l'écho me fait entendre les airs que tu joues sur ta flûte, au haut de la montagne, j'en répète les paroles au fond de ce vallon. Tu m'es cher, surtout depuis le jour où tu voulais te battre pour moi contre le maître de l'esclave. Depuis ce temps-là, je me suis dit bien des fois : Ah ! mon frère a un bon cœur ; sans lui je serais morte d'effroi. Je prie Dieu tous les jours pour ma mère, pour la tienne, pour toi, pour nos pauvres serviteurs ; mais quand je prononce ton nom il me semble que ma dévotion augmente. Je demande si instamment à Dieu qu'il ne t'arrive aucun mal ! Pourquoi vas-tu si loin et si haut me chercher des fruits et des fleurs ? N'en avons-nous pas assez dans le jardin ? Comme te voilà fatigué ! Tu es tout en nage. » Et avec son petit mouchoir blanc elle lui essuyait le front et les joues, et elle lui donnait plusieurs baisers.

Cependant depuis quelque temps Virginie se sentait agitée d'un mal inconnu. Ses beaux yeux bleus se marbraient de noir ; son teint jaunissait ; une langueur[1] universelle abat-

----
1. Faiblesse.

tait son corps. La sérénité n'était plus sur son front, ni le
sourire sur ses lèvres. On la voyait tout à coup gaie sans
joie, et triste sans chagrin. Elle fuyait ses jeux innocents,
ses doux travaux, et la société de sa famille bien-aimée.
Elle errait çà et là dans les lieux les plus solitaires de l'habitation, cherchant partout du repos, et ne le trouvant nulle
part. Quelquefois, à la vue de Paul, elle allait vers lui en
folâtrant ; puis tout à coup, près de l'aborder, un embarras
subit la saisissait ; un rouge vif colorait ses joues pâles, et
ses yeux n'osaient plus s'arrêter sur les siens. Paul lui
disait : « La verdure couvre ces rochers, nos oiseaux chan-
tent quand ils te voient ; tout est gai autour de toi, toi
seule es triste. » Et il cherchait à la ranimer en l'embras-
sant, mais elle détournait la tête, et fuyait tremblante vers
sa mère. L'infortunée se sentait troublée par les caresses
de son frère. Paul ne comprenait rien à des caprices si
nouveaux et si étranges. Un mal n'arrive guère seul.

Un de ces étés qui désolent de temps à autre les terres
situées entre les tropiques vint étendre ici ses ravages.
C'était vers la fin de décembre, lorsque le soleil au capricorne[1] échauffe pendant trois semaines l'Île-de-France de
ses feux verticaux. Le vent du sud-est qui y règne presque
toute l'année n'y soufflait plus. De longs tourbillons de
poussière s'élevaient sur les chemins, et restaient suspen-
dus en l'air. La terre se fendait de toutes parts ; l'herbe
était brûlée ; des exhalaisons chaudes sortaient du flanc
des montagnes, et la plupart de leurs ruisseaux étaient
desséchés. Aucun nuage ne venait du côté de la mer. Seulement pendant le jour des vapeurs rousses s'élevaient de
dessus ses plaines, et paraissaient au coucher du soleil

---

1. Capricorne renvoie au tropique du Capricorne, soit le tropique
sud. L'île Maurice étant située dans l'hémisphère Sud, l'été se trouve
au moment qui correspond à l'hiver européen.

comme les flammes d'un incendie. La nuit même n'apportait aucun rafraîchissement à l'atmosphère embrasée. L'orbe de la lune, tout rouge, se levait, dans un horizon embrumé, d'une grandeur démesurée. Les troupeaux abattus sur les flancs des collines, le cou tendu vers le ciel, aspirant l'air, faisaient retentir les vallons de tristes mugissements. Le cafre[1] même qui les conduisait se couchait sur la terre pour y trouver de la fraîcheur ; mais partout le sol était brûlant, et l'air étouffant retentissait du bourdonnement des insectes qui cherchaient à se désaltérer dans le sang des hommes et des animaux.

Dans une de ces nuits ardentes, Virginie sentit redoubler tous les symptômes de son mal. Elle se levait, elle s'asseyait, elle se recouchait, et ne trouvait dans aucune attitude ni le sommeil, ni le repos. Elle s'achemine, à la clarté de la lune, vers sa fontaine ; elle en aperçoit la source qui, malgré la sécheresse, coulait encore en filets d'argent sur les flancs bruns du rocher. Elle se plonge dans son bassin. D'abord la fraîcheur ranime ses sens, et mille souvenirs agréables se présentent à son esprit. Elle se rappelle que dans son enfance sa mère et Marguerite s'amusaient à la baigner avec Paul dans ce même lieu ; que Paul ensuite, réservant ce bain pour elle seule, en avait creusé le lit, couvert le fond de sable, et semé sur ses bords des herbes aromatiques. Elle entrevoit dans l'eau, sur ses bras nus et sur son sein, les reflets des deux palmiers plantés à la naissance de son frère et à la sienne, qui entrelaçaient au-dessus de sa tête leurs rameaux verts et leurs jeunes cocos. Elle pense à l'amitié de Paul, plus douce que les parfums, plus pure que l'eau des fontaines, plus forte que les palmiers unis ; et elle soupire. Elle songe à la nuit, à la solitude, et un feu dévorant

---

1. Habitant de la Cafrerie, à l'est de l'Afrique.

la saisit. Aussitôt elle sort, effrayée de ces dangereux ombrages et de ces eaux plus brûlantes que les soleils de la zone torride. Elle court auprès de sa mère chercher un appui contre elle-même. Plusieurs fois, voulant lui raconter ses peines, elle lui pressa les mains dans les siennes ; plusieurs fois elle fut près de prononcer le nom de Paul, mais son cœur oppressé laissa sa langue sans expression, et posant sa tête sur le sein maternel elle ne put que l'inonder de ses larmes.

Madame de la Tour pénétrait bien la cause du mal de sa fille, mais elle n'osait elle-même lui en parler. « Mon enfant, lui disait-elle, adresse-toi à Dieu, qui dispose à son gré de la santé et de la vie. Il t'éprouve aujourd'hui pour te récompenser demain. Songe que nous ne sommes sur la terre que pour exercer la vertu. »

Cependant ces chaleurs excessives élevèrent de l'océan des vapeurs qui couvrirent l'île comme un vaste parasol. Les sommets des montagnes les rassemblaient autour d'eux, et de longs sillons de feu sortaient de temps en temps de leurs pitons embrumés. Bientôt des tonnerres affreux firent retentir de leurs éclats les bois, les plaines et les vallons ; des pluies épouvantables, semblables à des cataractes[1], tombèrent du ciel. Des torrents écumeux se précipitaient le long des flancs de cette montagne : le fond de ce bassin était devenu une mer ; le plateau où sont assises les cabanes, une petite île ; et l'entrée de ce vallon, une écluse par où sortaient pêle-mêle avec les eaux mugissantes les terres, les arbres et les rochers.

Toute la famille tremblante priait Dieu dans la case de madame de la Tour, dont le toit craquait horriblement par l'effort des vents. Quoique la porte et les contrevents en

---

1. Grandes chutes d'eaux.

fussent bien fermés, tous les objets s'y distinguaient à travers les jointures de la charpente, tant les éclairs étaient vifs et fréquents. L'intrépide Paul, suivi de Domingue, allait d'une case à l'autre malgré la fureur de la tempête, assurant ici une paroi avec un arc-boutant, et enfonçant là un pieu : il ne rentrait que pour consoler la famille par l'espoir prochain du retour du beau temps. En effet sur le soir la pluie cessa ; le vent alizé du sud-est reprit son cours ordinaire ; les nuages orageux furent jetés vers le nord-est, et le soleil couchant parut à l'horizon.

Le premier désir de Virginie fut de revoir le lieu de son repos. Paul s'approcha d'elle d'un air timide, et lui présenta son bras pour l'aider à marcher. Elle l'accepta en souriant, et ils sortirent ensemble de la case. L'air était frais et sonore. Des fumées blanches s'élevaient sur les croupes de la montagne sillonnée çà et là de l'écume des torrents qui tarissaient de tous côtés. Pour le jardin, il était tout bouleversé par d'affreux ravins ; la plupart des arbres fruitiers avaient leurs racines en haut ; de grands amas de sable couvraient les lisières des prairies, et avaient comblé le bain de Virginie. Cependant les deux cocotiers étaient debout et bien verdoyants ; mais il n'y avait plus aux environs ni gazons, ni berceaux, ni oiseaux, excepté quelques bengalis qui, sur la pointe des rochers voisins, déploraient par des chants plaintifs la perte de leurs petits.

À la vue de cette désolation, Virginie dit à Paul : « Vous aviez apporté ici des oiseaux, l'ouragan les a tués. Vous aviez planté ce jardin, il est détruit. Tout périt sur la terre ; il n'y a que le ciel qui ne change point. » Paul lui répondit : « Que ne puis-je vous donner quelque chose du ciel ! mais je ne possède rien, même sur la terre. » Virginie reprit, en rougissant : « Vous avez à vous le portrait de saint Paul. » À peine eut-elle parlé qu'il courut le chercher dans la case de sa mère. Ce portrait était une petite miniature représentant l'ermite Paul[1]. Marguerite y avait une grande dévotion ; elle l'avait porté longtemps suspendu à son cou étant fille ; ensuite, devenue mère, elle l'avait mis à celui de son enfant. Il était même arrivé qu'étant enceinte de lui, et délaissée de tout le monde, à force de contempler l'image de ce bienheureux solitaire, son fruit en avait contracté quelque ressemblance ; ce qui l'avait décidée à lui en faire porter le nom, et à lui donner pour patron un saint qui avait passé sa vie loin des hommes, qui l'avaient abusée, puis abandonnée. Virginie, en recevant ce petit portrait des mains de Paul, lui dit d'un ton ému : « Mon frère, il ne me sera jamais enlevé tant que je vivrai, et je n'oublierai jamais que tu m'as donné la seule chose que tu possèdes au monde. » À ce ton d'amitié, à ce retour inespéré de familiarité et de tendresse, Paul voulut l'embrasser, mais aussi légère qu'un oiseau elle lui échappa, et le laissa hors de lui, ne concevant rien à une conduite si extraordinaire.

Cependant Marguerite disait à madame de la Tour : « Pourquoi ne marions-nous pas nos enfants ? Ils ont l'un pour l'autre une passion extrême dont mon fils ne s'aperçoit pas encore. Lorsque la nature lui aura parlé, en vain nous veillons sur eux, tout est à craindre. » Mme de la Tour lui répondit : « Ils sont trop jeunes et trop pauvres. Quel chagrin pour nous si Virginie mettait au monde des enfants malheureux, qu'elle n'aurait peut-être pas la force d'élever ! Ton noir Domingue est bien cassé ; Marie est infirme[2]. Moi-même chère amie, depuis quinze ans je me sens fort affaiblie. On vieillit promptement dans les pays chauds, et encore plus vite dans le chagrin. Paul est notre unique espérance. Attendons que l'âge ait formé son tempérament, et

---

1. Saint Paul de Thèbes, retiré dans le désert à l'âge de vingt-deux ans.

2. Infirme a ici le sens ancien de faible.

qu'il puisse nous soutenir par son travail. À présent, tu le sais, nous n'avons guère que le nécessaire de chaque jour. Mais en faisant passer Paul dans l'Inde pour un peu de temps, le commerce lui fournira de quoi acheter quelque esclave : et à son retour ici nous le marierons à Virginie ; car je crois que personne ne peut rendre ma chère fille aussi heureuse que ton fils Paul. Nous en parlerons à notre voisin. »

En effet ces dames me consultèrent, et je fus de leur avis. « Les mers de l'Inde sont belles, leur dis-je. En prenant une saison favorable pour passer d'ici aux Indes, c'est un voyage de six semaines au plus, et d'autant de temps pour en revenir. Nous ferons dans notre quartier une pacotille[1] à Paul ; car j'ai des voisins qui l'aiment beaucoup. Quand nous ne lui donnerions que du coton brut, dont nous ne faisons aucun usage faute de moulins pour l'éplucher ; du bois d'ébène, si commun ici qu'il sert au chauffage, et quelques résines qui se perdent dans nos bois : tout cela se vend assez bien aux Indes, et nous est fort inutile ici. »

Je me chargeai de demander à M. de la Bourdonnais une permission d'embarquement pour ce voyage ; et avant tout je voulus en prévenir Paul. Mais quel fut mon étonnement lorsque ce jeune homme me dit avec un bon sens fort au-dessus de son âge : « Pourquoi voulez-vous que je quitte ma famille pour je ne sais quel projet de fortune ? Y a-t-il un commerce au monde plus avantageux que la culture d'un champ qui rend quelquefois cinquante et cent pour un ? Si nous voulons faire le commerce, ne pouvons-nous pas le faire en portant notre superflu d'ici à la ville, sans que j'aille courir aux Indes ? Nos mères me disent que Domingue est vieux et cassé ; mais moi je suis jeune, et je me renforce chaque jour. Il n'a qu'à leur arriver pendant

---

1. Au sens propre, le terme désigne le petit paquet que les membres de l'équipage d'un navire peuvent transporter gratuitement avec eux.

mon absence quelque accident, surtout à Virginie qui est déjà souffrante. Oh non, non ! je ne saurais me résoudre à les quitter. »

Sa réponse me jeta dans un grand embarras ; car madame de la Tour ne m'avait pas caché l'état de Virginie, et le désir qu'elle avait de gagner quelques années sur l'âge de ces jeunes gens en les éloignant l'un de l'autre. C'étaient des motifs que je n'osais même faire soupçonner à Paul.

Sur ces entrefaites un vaisseau arrivé de France apporta à madame de la Tour une lettre de sa tante. La crainte de la mort, sans laquelle les cœurs durs ne seraient jamais sensibles, l'avait frappée. Elle sortait d'une grande maladie dégénérée en langueur, et que l'âge rendait incurable. Elle mandait à sa nièce de repasser en France ; ou, si sa santé ne lui permettait pas de faire un si long voyage, elle lui enjoignait d'y envoyer Virginie, à laquelle elle destinait une bonne éducation, un parti à la cour, et la donation de tous ses biens. Elle attachait, disait-elle, le retour de ses bontés à l'exécution de ses ordres.

À peine cette lettre fut lue dans la famille qu'elle y répandit la consternation. Domingue et Marie se mirent à pleurer. Paul, immobile d'étonnement, paraissait prêt à se mettre en colère. Virginie, les yeux fixés sur sa mère, n'osait proférer un mot. « Pourriez-vous nous quitter maintenant ? dit Marguerite à madame de la Tour. — Non, mon amie ; non, mes enfants, reprit madame de la Tour : je ne vous quitterai point. J'ai vécu avec vous, et c'est avec vous que je veux mourir. Je n'ai connu le bonheur que dans votre amitié. Si ma santé est dérangée, d'anciens chagrins en sont cause. J'ai été blessée au cœur par la dureté de mes parents et par la perte de mon cher époux. Mais depuis, j'ai goûté plus de consolation et de félicité avec vous, sous ces pauvres cabanes, que jamais les richesses de ma famille ne m'en ont fait même espérer dans ma patrie. »

À ce discours des larmes de joie coulèrent de tous les yeux. Paul, serrant madame de la Tour dans ses bras, lui dit : « Je ne vous quitterai pas non plus ; je n'irai point aux Indes. Nous travaillerons tous pour vous, chère maman ; rien ne vous manquera jamais avec nous. » Mais de toute la société la personne qui témoigna le moins de joie, et qui y fut la plus sensible, fut Virginie. Elle parut le reste du jour d'une gaieté douce, et le retour de sa tranquillité mit le comble à la satisfaction générale.

Le lendemain, au lever du soleil, comme ils venaient de faire tous ensemble, suivant leur coutume, la prière du matin qui précédait le déjeuner, Domingue les avertit qu'un monsieur à cheval, suivi de deux esclaves, s'avançait vers l'habitation. C'était M. de la Bourdonnais. Il entra dans la case où toute la famille était à table. Virginie venait de servir, suivant l'usage du pays, du café et du riz cuit à l'eau. Elle y avait joint des patates chaudes et des bananes fraîches. Il y avait pour toute vaisselle des moitiés de calebasses, et pour linge des feuilles de bananier. Le gouverneur témoigna d'abord quelque étonnement de la pauvreté de cette demeure. Ensuite, s'adressant à madame de la Tour, il lui dit que les affaires générales l'empêchaient quelquefois de songer aux particulières ; mais qu'elle avait bien des droits sur lui. « Vous avez, ajouta-t-il, madame, une tante de qualité et fort riche à Paris, qui vous réserve sa fortune, et vous attend auprès d'elle. » Madame de la Tour répondit au gouverneur que sa santé altérée ne lui permettait pas d'entreprendre un si long voyage. « Au moins, reprit M. de la Bourdonnais, pour mademoiselle votre fille, si jeune et si aimable, vous ne sauriez sans injustice la priver d'une si grande succession. Je ne vous cache pas que votre tante a employé l'autorité pour la faire venir auprès d'elle. Les bureaux m'ont écrit à ce sujet d'user, s'il le fallait, de mon pouvoir ; mais ne l'exerçant que pour rendre heureux les

habitants de cette colonie, j'attends de votre volonté seule
un sacrifice de quelques années, d'où dépend l'établissement
de votre fille, et le bien-être de toute votre vie. Pourquoi
vient-on aux îles ? n'est-ce pas pour y faire fortune ? N'est-il
pas bien plus agréable de l'aller retrouver dans sa patrie ? »

En disant ces mots, il posa sur la table un gros sac de
piastres[1] que portait un de ses noirs. « Voilà, ajouta-t-il, ce
qui est destiné aux préparatifs de voyage de mademoiselle
votre fille, de la part de votre tante. » Ensuite il finit par
reprocher avec bonté à madame de la Tour de ne s'être
pas adressée à lui dans ses besoins, en la louant cependant
de son noble courage. Paul aussitôt prit la parole, et dit au
gouverneur : « Monsieur, ma mère s'est adressée à vous,
et vous l'avez mal reçue. — Avez-vous un autre enfant,
madame ? dit M. de la Bourdonnais à madame de la Tour.
— Non, monsieur, reprit-elle, celui-ci est le fils de mon
amie ; mais lui et Virginie nous sont communs, et également chers. — Jeune homme, dit le gouverneur à Paul,
quand vous aurez acquis l'expérience du monde, vous con-
naîtrez le malheur des gens en place ; vous saurez combien
il est facile de les prévenir, combien aisément ils donnent
au vice intrigant ce qui appartient au mérite qui se cache. »

M. de la Bourdonnais, invité par madame de la Tour, s'assit
à table auprès d'elle. Il déjeuna, à la manière des Créoles,
avec du café mêlé avec du riz cuit à l'eau. Il fut charmé de
l'ordre et de la propreté de la petite case, de l'union de
ces deux familles charmantes, et du zèle même de leurs
vieux domestiques. « Il n'y a, dit-il, ici que des meubles de
bois ; mais on y trouve des visages sereins et des cœurs
d'or. » Paul, charmé de la popularité du gouverneur, lui
dit : « Je désire être votre ami, car vous êtes un honnête

---

1. Monnaie.

homme. » M. de la Bourdonnais reçut avec plaisir cette marque de cordialité insulaire. Il embrassa Paul en lui serrant la
main, et l'assura qu'il pouvait compter sur son amitié.

Après déjeuner, il prit madame de la Tour en particulier, et
lui dit qu'il se présentait une occasion prochaine d'envoyer
sa fille en France, sur un vaisseau prêt à partir ; qu'il la
recommanderait à une dame de ses parentes qui y était
passagère ; qu'il fallait bien se garder d'abandonner une
fortune immense pour une satisfaction de quelques années.
« Votre tante, ajouta-t-il en s'en allant, ne peut pas traîner
plus de deux ans : ses amis me l'ont mandé. Songez-y bien.
La fortune ne vient pas tous les jours. Consultez-vous. Tous
les gens de bon sens seront de mon avis. » Elle lui répondit « que, ne désirant désormais d'autre bonheur dans le
monde que celui de sa fille, elle laisserait son départ pour
la France entièrement à sa disposition ».

Madame de la Tour n'était pas fâchée de trouver une
occasion de séparer pour quelque temps Virginie et Paul,
en procurant un jour leur bonheur mutuel. Elle prit donc
sa fille à part, et lui dit : « Mon enfant, nos domestiques
sont vieux ; Paul est bien jeune, Marguerite vient sur l'âge ;
je suis déjà infirme : si j'allais mourir, que deviendriez-vous
sans fortune au milieu de ces déserts[1] ? Vous resteriez donc
seule, n'ayant personne qui puisse vous être d'un grand
secours, et obligée, pour vivre, de travailler sans cesse à la
terre comme une mercenaire[2]. Cette idée me pénètre de
douleur. » Virginie lui répondit : « Dieu nous a condamnés
au travail. Vous m'avez appris à travailler, et à le bénir chaque jour. Jusqu'à présent il ne nous a pas abandonnés, il ne
nous abandonnera point encore. Sa providence veille par-

---

1. Le terme a ici le sens figuré de lieu solitaire et écarté.
2. L'expression « comme un(e) mercenaire » signifie faire un travail
pénible pour un salaire misérable.

ticulièrement sur les malheureux. Vous me l'avez dit tant de fois, ma mère ! Je ne saurais me résoudre à vous quitter. » Madame de la Tour, émue, reprit : « Je n'ai d'autre projet que de te rendre heureuse et de te marier un jour avec Paul, qui n'est point ton frère. Songe maintenant que sa fortune dépend de toi. »

Une jeune fille qui aime croit que tout le monde l'ignore. Elle met sur ses yeux le voile qu'elle a sur son cœur ; mais quand il est soulevé par une main amie, alors les peines secrètes de son amour s'échappent comme par une barrière ouverte, et les doux épanchements de la confiance succèdent aux réserves et aux mystères dont elle s'environnait. Virginie, sensible aux nouveaux témoignages de bonté de sa mère, lui raconta quels avaient été ses combats, qui n'avaient eu d'autres témoins que Dieu seul, qu'elle voyait le secours de sa providence dans celui d'une mère tendre qui approuvait son inclination, et qui la dirigeait par ses conseils ; que maintenant, appuyée de son support, tout l'engageait à rester auprès d'elle, sans inquiétude pour le présent, et sans crainte pour l'avenir.

Madame de la Tour voyant que sa confidence avait produit un effet contraire à celui qu'elle en attendait, lui dit : « Mon enfant, je ne veux point te contraindre ; délibère à ton aise ; mais cache ton amour à Paul. Quand le cœur d'une fille est pris, son amant n'a plus rien à lui demander. »

Vers le soir, comme elle était seule avec Virginie, il entra chez elle un grand homme vêtu d'une soutane bleue. C'était un ecclésiastique missionnaire de l'île, et confesseur de madame de la Tour et de Virginie. Il était envoyé par le gouverneur. « Mes enfants, dit-il en entrant, Dieu soit loué ! Vous voilà riches. Vous pourrez écouter votre bon cœur, faire du bien aux pauvres. Je sais ce que vous a dit M. de la Bourdonnais, et ce que vous lui avez répondu. Bonne maman, votre santé vous oblige de rester ici ; mais vous, jeune demoiselle, vous n'avez point d'excuses. Il faut obéir à la Providence, à nos vieux parents, même injustes. C'est un sacrifice, mais c'est l'ordre de Dieu. Il s'est dévoué pour nous ; il faut, à son exemple, se dévouer pour le bien de sa famille. Votre voyage en France aura une fin heureuse. Ne voulez-vous pas bien y aller, ma chère demoiselle ? »

Virginie, les yeux baissés, lui répondit en tremblant : « Si c'est l'ordre de Dieu, je ne m'oppose à rien. Que la volonté de Dieu soit faite ! » dit-elle en pleurant.

Le missionnaire sortit, et fut rendre compte au gouverneur du succès de sa commission. Cependant madame de la Tour m'envoya prier par Domingue de passer chez elle pour me consulter sur le départ de Virginie. Je ne fus point du tout d'avis qu'on la laissât partir. Je tiens pour principes certains du bonheur qu'il faut préférer les avantages de la nature à tous ceux de la fortune, et que nous ne devons point aller chercher hors de nous ce que nous pouvons trouver chez nous. J'étends ces maximes à tout, sans exception. Mais que pouvaient mes conseils de modération contre les illusions d'une grande fortune, et mes raisons naturelles contre les préjugés du monde et une autorité sacrée pour madame de la Tour ? Cette dame ne me consulta donc que par bienséance, et elle ne délibéra plus depuis la décision de son confesseur. Marguerite même, qui, malgré les avantages qu'elle espérait pour son fils de la fortune de Virginie, s'était opposée fortement à son départ, ne fit plus d'objections. Pour Paul, qui ignorait le parti auquel on se déterminait, étonné des conversations secrètes de madame de la Tour et de sa fille, il s'abandonnait à une tristesse sombre. « On trame quelque chose contre moi, dit-il, puisqu'on se cache de moi. »

Cependant le bruit s'étant répandu dans l'île que la fortune avait visité ces rochers, on y vit grimper des marchands de toute espèce. Ils déployèrent, au milieu de ces pauvres cabanes, les plus riches étoffes de l'Inde ; de superbes basins de Goudelour, des mouchoirs de Paliacate et de Mazulipatan, des mousselines de Daca, unies, rayées, brodées, transparentes comme le jour, des baftas de Surate d'un si beau blanc, des chittes de toutes couleurs et des plus rares, à fond sablé et à rameaux verts. Ils déroulèrent de magnifiques étoffes de soie de la Chine, des lampas découpés à jour, des damas d'un blanc satiné, d'autres d'un vert de prairie, d'autres d'un rouge à éblouir ; des taffetas roses, des satins à pleine main, des pékins moelleux comme le drap, des nankins blancs et jaunes, et jusqu'à des pagnes de Madagascar[1].

Madame de la Tour voulut que sa fille achetât tout ce qui lui ferait plaisir ; elle veilla seulement sur le prix et les qualités des marchandises, de peur que les marchands ne la trompassent. Virginie choisit tout ce qu'elle crut être agréable à sa mère, à Marguerite et à son fils. « Ceci, disait-elle, était bon pour des meubles, cela pour l'usage de Marie et de Domingue. » Enfin le sac de piastres était employé qu'elle n'avait pas encore songé à ses besoins. Il fallut lui faire son partage sur les présents qu'elle avait distribués à la société.

Paul, pénétré de douleur à la vue de ces dons de la fortune, qui lui présageaient le départ de Virginie, s'en vint quelques jours après chez moi. Il me dit d'un air accablé : « Ma sœur s'en va : elle fait déjà les apprêts de son voyage.

---

1. Le basin est un tissu de coton venant du sud-est de l'Inde où se trouve Goudelour (ou Gondelour) ; Paliacate est une ville du nord de la région de Madras, en Inde, où se trouve aussi la ville de Mazulipatan. Dacca est au Bengale. La mousseline est une fine toile de coton. Le bafta une toile de coton blanc. Surate est le lieu d'un comptoir français de la Compagnie des Indes. Les chittes sont des étoffes de coton imprimées ; les lampas des soieries colorées et les nankins des tissus imprimés de larges motifs.

Passez chez nous, je vous prie. Employez votre crédit sur l'esprit de sa mère et de la mienne pour la retenir. » Je me rendis aux instances de Paul, quoique bien persuadé que mes représentations seraient sans effet.

Si Virginie m'avait paru charmante en toile bleue du Bengale, avec un mouchoir rouge autour de sa tête, ce fut encore tout autre chose quand je la vis parée à la manière des dames de ce pays. Elle était vêtue de mousseline blanche doublée de taffetas rose. Sa taille légère et élevée se dessinait parfaitement sous son corset, et ses cheveux blonds, tressés à double tresse, accompagnaient admirablement sa tête virginale. Ses beaux yeux bleus étaient remplis de mélancolie ; et son cœur agité par une passion combattue donnait à son teint une couleur animée, et à sa voix des sons pleins d'émotion. Le contraste même de sa parure élégante, qu'elle semblait porter malgré elle, rendait sa langueur encore plus touchante. Personne ne pouvait la voir ni l'entendre sans se sentir ému. La tristesse de Paul en augmenta. Marguerite, affligée de la situation de son fils, lui dit en particulier : « Pourquoi, mon fils, te nourrir de fausses espérances, qui rendent les privations encore plus amères ? Il est temps que je te découvre le secret de ta vie et de la mienne. Mademoiselle de la Tour appartient, par sa mère, à une parente riche et de grande condition : pour toi, tu n'es que le fils d'une pauvre paysanne, et, qui pis est, tu es bâtard. »

Ce mot de bâtard étonna beaucoup Paul ; il ne l'avait jamais ouï prononcer ; il en demanda la signification à sa mère, qui lui répondit : « Tu n'as point eu de père légitime. Lorsque j'étais fille, l'amour me fit commettre une faiblesse dont tu as été le fruit. Ma faute t'a privé de ta famille paternelle, et mon repentir, de ta famille maternelle. Infortuné, tu n'as d'autres parents que moi seule dans le monde ! » et elle se mit à répandre des larmes. Paul, la serrant dans ses

bras, lui dit : « Oh, ma mère ! puisque je n'ai d'autres
parents que vous dans le monde, je vous en aimerai davantage. Mais quel secret venez-vous de me révéler ! Je vois
maintenant la raison qui éloigne de moi mademoiselle de la
Tour depuis deux mois, et qui la décide aujourd'hui à partir. Ah ! sans doute, elle me méprise ! »

Cependant, l'heure de souper étant venue, on se mit à
table, où chacun des convives, agité de passions différentes, mangea peu et ne parla point. Virginie en sortit la première, et fut s'asseoir au lieu où nous sommes. Paul la
suivit bientôt après, et vint se mettre auprès d'elle. L'un et
l'autre gardèrent quelque temps un profond silence. Il faisait une de ces nuits délicieuses, si communes entre les
tropiques, et dont le plus habile pinceau ne rendrait pas la
beauté. La lune paraissait au milieu du firmament, entou-
rée d'un rideau de nuages que ses rayons dissipaient par
degrés. Sa lumière se répandait insensiblement sur les
montagnes de l'île et sur leurs pitons, qui brillaient d'un vert
argenté. Les vents retenaient leurs haleines. On entendait
dans les bois, au fond des vallées, au haut des rochers, de
petits cris, de doux murmures d'oiseaux, qui se caressaient
dans leurs nids, réjouis par la clarté de la nuit et la tranquillité de l'air. Tous, jusqu'aux insectes, bruissaient sous
l'herbe. Les étoiles étincelaient au ciel, et se réfléchissaient
au sein de la mer qui répétait leurs images tremblantes.
Virginie parcourait avec des regards distraits son vaste et
sombre horizon, distingué du rivage de l'île par les feux
rouges des pêcheurs. Elle aperçut à l'entrée du port une
lumière et une ombre : c'était le fanal et le corps du vaisseau où elle devait s'embarquer pour l'Europe, et qui, prêt
à mettre à la voile, attendait à l'ancre la fin du calme. À
cette vue elle se troubla, et détourna la tête pour que Paul
ne la vît pas pleurer.

Madame de la Tour, Marguerite et moi, nous étions assis

à quelques pas de là sous des bananiers ; et dans le silence de la nuit nous entendîmes distinctement leur conversation, que je n'ai pas oubliée.

Paul lui dit : « Mademoiselle, vous partez, dit-on, dans trois jours. Vous ne craignez pas de vous exposer aux dangers de la mer... de la mer dont vous êtes si effrayée ! — Il faut, répondit Virginie, que j'obéisse, à mes parents, à mon devoir. — Vous nous quittez, reprit Paul, pour une parente éloignée que vous n'avez jamais vue ! — Hélas, dit Virginie, je voulais rester ici toute ma vie ; ma mère ne l'a pas voulu. Mon confesseur m'a dit que la volonté de Dieu était que je partisse ; que la vie était une épreuve... Oh ! c'est une épreuve bien dure ! »

« Quoi, repartit Paul, tant de raisons vous ont décidée, et aucune ne vous a retenue ! Ah ! il en est encore que vous ne me dites pas. La richesse a de grands attraits. Vous trouverez bientôt, dans un nouveau monde, à qui donner le nom de frère, que vous ne me donnez plus. Vous le choisirez, ce frère, parmi des gens dignes de vous par une naissance et une fortune que je ne peux vous offrir. Mais, pour être plus heureuse, où voulez-vous aller ? Dans quelle terre aborderez-vous qui vous soit plus chère que celle où vous êtes née ? Où formerez-vous une société[1] plus aimable que celle qui vous aime ? Comment vivrez-vous sans les caresses de votre mère, auxquelles vous êtes si accoutumée ? Que deviendra-t-elle elle-même, déjà sur l'âge, lorsqu'elle ne vous verra plus à ses côtés, à la table, dans la maison, à la promenade où elle s'appuyait sur vous ? Que deviendra la mienne, qui vous chérit autant qu'elle ? Que leur dirai-je à l'une et à l'autre quand je les verrai pleurer de votre absence ? Cruelle ! je ne vous parle point

---

1. Un lien.

de moi : mais que deviendrai-je moi-même quand le matin je ne vous verrai plus avec nous, et que la nuit viendra sans nous réunir ; quand j'apercevrai ces deux palmiers plantés à notre naissance, et si longtemps témoins de notre amitié mutuelle ? Ah ! puisqu'un nouveau sort te touche, que tu cherches d'autres pays que ton pays natal, d'autres biens que ceux de mes travaux, laisse-moi t'accompagner sur le vaisseau où tu pars. Je te rassurerai dans les tempêtes, qui te donnent tant d'effroi sur la terre. Je reposerai ta tête sur mon sein, je réchaufferai ton cœur contre mon cœur ; et en France, où tu vas chercher de la fortune et de la grandeur, je te servirai comme ton esclave. Heureux de ton seul bonheur, dans ces hôtels[1] où je te verrai servie et adorée, je serai encore assez riche et assez noble pour te faire le plus grand sacrifice, en mourant à tes pieds. »

Les sanglots étouffèrent sa voix, et nous entendîmes aussitôt celle de Virginie qui lui disait ces mots entrecoupés de soupirs… « C'est pour toi que je pars,… pour toi que j'ai vu chaque jour courbé par le travail pour nourrir deux familles infirmes. Si je me suis prêtée à l'occasion de devenir riche, c'est pour te rendre mille fois le bien que tu nous as fait. Est-il une fortune digne de ton amitié ? Que me dis-tu de ta naissance ? Ah ! s'il m'était encore possible de me donner un frère, en choisirais-je un autre que toi ? Ô Paul ! Ô Paul ! tu m'es beaucoup plus cher qu'un frère ! Combien m'en a-t-il coûté pour te repousser loin de moi ! Je voulais que tu m'aidasses à me séparer de moi-même jusqu'à ce que le ciel pût bénir notre union. Maintenant je reste, je pars, je vis, je meurs ; fais de moi ce que tu veux. Fille sans vertu ! j'ai pu résister à tes caresses, et je ne peux soutenir ta douleur ! »

---

1. Grandes demeures particulières.

À ces mots Paul la saisit dans ses bras, et la tenant étroitement serrée, il s'écria d'une voix terrible : « Je pars avec elle ; rien ne pourra m'en détacher. » Nous courûmes tous à lui. Madame de la Tour lui dit : « Mon fils, si vous nous quittez qu'allons-nous devenir ? »

Il répéta en tremblant ces mots : « Mon fils... mon fils... Vous ma mère, lui dit-il, vous qui séparez le frère d'avec la sœur ! Tous deux nous avons sucé votre lait ; tous deux, élevés sur vos genoux, nous avons appris de vous à nous aimer ; tous deux, nous nous le sommes dit mille fois. Et maintenant vous l'éloignez de moi ! Vous l'envoyez en Europe, dans ce pays barbare qui vous a refusé un asile, et chez des parents cruels qui vous ont vous-même abandonnée. Vous me direz : Vous n'avez plus de droits sur elle, elle n'est pas votre sœur. Elle est tout pour moi, ma richesse, ma famille, ma naissance, tout mon bien. Je n'en connais plus d'autre. Nous n'avons eu qu'un toit, qu'un berceau ; nous n'aurons qu'un tombeau. Si elle part, il faut que je la suive. Le gouverneur m'en empêchera ? M'empêchera-t-il de me jeter à la mer ? je la suivrai à la nage. La mer ne saurait m'être plus funeste que la terre. Ne pouvant vivre ici près d'elle, au moins je mourrai sous ses yeux, loin de vous. Mère barbare ! femme sans pitié ! puisse cet océan où vous l'exposez ne jamais vous la rendre ! puissent ses flots vous rapporter mon corps, et, le roulant avec le sien parmi les cailloux de ces rivages, vous donner, par la perte de vos deux enfants, un sujet éternel de douleur ! »

À ces mots je le saisis dans mes bras ; car le désespoir lui ôtait la raison. Ses yeux étincelaient ; la sueur coulait à grosses gouttes sur son visage en feu ; ses genoux tremblaient, et je sentais dans sa poitrine brûlante son cœur battre à coups redoublés.

Virginie effrayée lui dit : « Ô mon ami ! j'atteste les plaisirs de notre premier âge, tes maux, les miens, et tout ce qui doit lier à jamais deux infortunés, si je reste, de ne vivre que pour toi ; si je pars, de revenir un jour pour être à toi. Je vous prends à témoins, vous tous qui avez élevé mon enfance, qui disposez de ma vie et qui voyez mes larmes. Je le jure par ce ciel qui m'entend, par cette mer que je dois traverser, par l'air que je respire, et que je n'ai jamais souillé du mensonge. »

Comme le soleil fond et précipite un rocher de glace du sommet des Apennins[1], ainsi tomba la colère impétueuse de ce jeune homme à la voix de l'objet aimé. Sa tête altière était baissée, et un torrent de pleurs coulait de ses yeux. Sa mère, mêlant ses larmes aux siennes, le tenait embrassé sans pouvoir parler. Madame de la Tour, hors d'elle, me dit : « Je n'y puis tenir ; mon âme est déchirée. Ce malheureux voyage n'aura pas lieu. Mon voisin, tâchez d'emmener mon fils. Il y a huit jours que personne ici n'a dormi. »

Je dis à Paul : « Mon ami, votre sœur restera. Demain nous en parlerons au gouverneur : laissez reposer votre famille, et venez passer cette nuit chez moi. Il est tard, il est minuit ; la croix du sud[2] est droite sur l'horizon. »

Il se laissa emmener sans rien dire, et après une nuit fort agitée, il se leva au point du jour, et s'en retourna à son habitation.

Mais qu'est-il besoin de vous continuer plus longtemps le récit de cette histoire ? Il n'y a jamais qu'un côté agréable à connaître dans la vie humaine. Semblable au globe sur lequel nous tournons, notre révolution rapide n'est que d'un jour, et une partie de ce jour ne peut recevoir la lumière que l'autre ne soit livrée aux ténèbres.

« Mon père, lui dis-je, je vous en conjure, achevez de me raconter ce que vous avez commencé d'une manière si

---

1. Chaîne de montagnes du nord de l'Italie.
2. Constellation de l'hémisphère Sud.

touchante. Les images du bonheur nous plaisent, mais celles du malheur nous instruisent. Que devint, je vous prie,
l'infortuné Paul ? »

Le premier objet que vit Paul, en retournant à l'habitation, fut la négresse Marie, qui, montée sur un rocher,
regardait vers la pleine mer. Il lui cria du plus loin qu'il
l'aperçut : « Où est Virginie ? » Marie tourna la tête vers
son jeune maître, et se mit à pleurer. Paul, hors de lui, revint
sur ses pas, et courut au port. Il y apprit que Virginie s'était
embarquée au point du jour, que son vaisseau avait mis à
la voile aussitôt, et qu'on ne le voyait plus. Il revint à l'habitation, qu'il traversa sans parler à personne.

Quoique cette enceinte de rochers paraisse derrière
nous presque perpendiculaire, ces plateaux verts qui en
divisent la hauteur sont autant d'étages par lesquels on
parvient, au moyen de quelques sentiers difficiles, jusqu'au
pied de ce cône de rochers incliné et inaccessible, qu'on
appelle le Pouce. À la base de ce rocher est une esplanade
couverte de grands arbres, mais si élevée et si escarpée
qu'elle est comme une grande forêt dans l'air, environnée
de précipices effroyables. Les nuages que le sommet du
Pouce attire sans cesse autour de lui y entretiennent plusieurs ruisseaux, qui tombent à une si grande profondeur
au fond de la vallée, située au revers de cette montagne,
que de cette hauteur on n'entend point le bruit de leur
chute. De ce lieu on voit une grande partie de l'île avec ses
mornes surmontés de leurs pitons, entre autres Piterboth
et les Trois-mamelles avec leurs vallons remplis de forêts ;
puis la pleine mer, et l'Île-Bourbon, qui est à quarante lieues
de là vers l'Occident. Ce fut de cette élévation que Paul
aperçut le vaisseau qui emmenait Virginie. Il le vit à plus de
dix lieues au large comme un point noir au milieu de l'océan.
Il resta une partie du jour tout occupé à le considérer : il
était déjà disparu qu'il croyait le voir encore ; et quand il

fut perdu dans la vapeur de l'horizon, il s'assit dans ce lieu sauvage, toujours battu des vents, qui y agitent sans cesse les sommets des palmistes et des tatamaques. Leur murmure sourd et mugissant ressemble au bruit lointain des orgues, et inspire une profonde mélancolie. Ce fut là que je trouvai Paul, la tête appuyée contre le rocher, et les yeux fixés vers la terre. Je marchais après lui depuis le lever du soleil : j'eus beaucoup de peine à le déterminer à descendre, et à revoir sa famille. Je le ramenai cependant à son habitation ; et son premier mouvement, en revoyant madame de la Tour, fut de se plaindre amèrement qu'elle l'avait trompé. Madame de la Tour nous dit que le vent s'étant levé vers les trois heures du matin, le vaisseau étant au moment d'appareiller, le gouverneur, suivi d'une partie de son état-major et du missionnaire, était venu chercher Virginie en palanquin ; et que, malgré ses propres raisons, ses larmes, et celles de Marguerite, tout le monde criant que c'était pour leur bien à tous, ils avaient emmené sa fille à demi mourante. « Au moins, répondit Paul, si je lui avais fait mes adieux, je serais tranquille à présent. Je lui aurais dit : Virginie, si pendant le temps que nous avons vécu ensemble, il m'est échappé quelque parole qui vous ait offensée, avant de me quitter pour jamais, dites-moi que vous me la pardonnez. Je lui aurais dit : Puisque je ne suis plus destiné à vous revoir, adieu, ma chère Virginie ! adieu ! Vivez loin de moi contente et heureuse ! » Et comme il vit que sa mère et madame de la Tour pleuraient : « Cherchez maintenant, leur dit-il, quelque autre que moi qui essuie vos larmes ! » puis il s'éloigna d'elles en gémissant, et se mit à errer çà et là dans l'habitation. Il en parcourait tous les endroits qui avaient été les plus chers à Virginie. Il disait à ses chèvres et à leurs petits chevreaux, qui le suivaient en bêlant : « Que me demandez-vous ? Vous ne reverrez plus avec moi celle qui vous donnait à manger dans sa main. » Il fut au Repos de Virginie, et à la vue des oiseaux qui voltigeaient autour, il s'écria : « Pauvres oiseaux ! vous n'irez plus au-devant de celle qui était votre bonne nourrice. » En voyant Fidèle qui flairait çà et là et marchait devant lui en quêtant, il soupira, et lui dit : « Oh ! tu ne la retrouveras plus jamais. » Enfin il fut s'asseoir sur le rocher où il lui avait parlé la veille, et à l'aspect de la mer où il avait vu disparaître le vaisseau qui l'avait emmenée, il pleura abondamment.

Cependant nous le suivions pas à pas, craignant quelque suite funeste de l'agitation de son esprit. Sa mère et madame de la Tour le priaient par les termes les plus tendres de ne pas augmenter leur douleur par son désespoir. Enfin celle-ci parvint à le calmer en lui prodiguant les noms les plus propres à réveiller ses espérances. Elle l'appelait son fils, son cher fils, son gendre, celui à qui elle destinait sa fille. Elle l'engagea à rentrer dans la maison, et à y prendre quelque peu de nourriture. Il se mit à table avec nous auprès de la place où se mettait la compagne de son enfance ; et, comme si elle l'eût encore occupée, il lui adressait la parole et lui présentait les mets qu'il savait lui être les plus agréables ; mais dès qu'il s'apercevait de son erreur il se mettait à pleurer. Les jours suivants il recueillit tout ce qui avait été à son usage particulier, les derniers bouquets qu'elle avait portés, une tasse de coco où elle avait coutume de boire ; et comme si ces restes de son amie eussent été les choses du monde les plus précieuses, il les baisait[1] et les mettait dans son sein. L'ambre ne répand pas un parfum aussi doux que les objets touchés par l'objet que l'on aime. Enfin, voyant que ses regrets augmentaient ceux de sa mère et de madame de la Tour, et que les besoins de la famille

---

1. Il les embrassait.

demandaient un travail continuel, il se mit, avec l'aide de Domingue, à réparer le jardin.

Bientôt ce jeune homme, indifférent comme un Créole pour tout ce qui se passe dans le monde, me pria de lui apprendre à lire et à écrire, afin qu'il pût entretenir une correspondance avec Virginie. Il voulut ensuite s'instruire dans la géographie pour se faire une idée du pays où elle débarquerait ; et dans l'histoire, pour connaître les mœurs de la société où elle allait vivre. Ainsi il s'était perfectionné dans l'agriculture, et dans l'art de disposer avec agrément le terrain le plus irrégulier, par le sentiment de l'amour. Sans doute c'est aux jouissances que se propose cette passion ardente et inquiète que les hommes doivent la plupart des sciences et des arts, et c'est de ses privations qu'est née la philosophie, qui apprend à se consoler de tout. Ainsi la nature ayant fait l'amour le lien de tous les êtres, l'a rendu le premier mobile de nos sociétés, et l'instigateur de nos lumières et de nos plaisirs.

Paul ne trouva pas beaucoup de goût dans l'étude de la géographie, qui, au lieu de nous décrire la nature de chaque pays, ne nous en présente que les divisions politiques. L'histoire, et surtout l'histoire moderne, ne l'intéressa guère davantage. Il n'y voyait que des malheurs généraux et périodiques, dont il n'apercevait pas les causes ; des guerres sans sujet et sans objet ; des intrigues obscures ; des nations sans caractère, et des princes sans humanité. Il préférait à cette lecture celle des romans, qui, s'occupant davantage des sentiments et des intérêts des hommes, lui offraient quelquefois des situations pareilles à la sienne. Aussi aucun livre ne lui fit autant de plaisir que le *Télémaque*[1], par ses

---

1. Roman de Fénelon inspiré de l'*Odyssée* d'Homère. Initialement composé pour servir à l'éducation du petit-fils de Louis XIV, il devient à partir de sa parution imprimée, en 1699, un immense succès de librairie. Télémaque s'éprend tout d'abord de la nymphe Eucharis, mais se tourne ensuite vers la sage Antiope, la fille du roi Idoménée.

tableaux de la vie champêtre et des passions naturelles au cœur humain. Il en lisait à sa mère et à madame de la Tour les endroits qui l'affectaient davantage : alors ému par de touchants ressouvenirs, sa voix s'étouffait, et les larmes coulaient de ses yeux. Il lui semblait trouver dans Virginie la dignité et la sagesse d'Antiope, avec les malheurs et la tendresse d'Eucharis. D'un autre côté il fut tout bouleversé par la lecture de nos romans à la mode, pleins de mœurs et de maximes licencieuses[1] ; et quand il sut que ces romans renfermaient une peinture véritable des sociétés de l'Europe, il craignit, non sans quelque apparence de raison, que Virginie ne vînt à s'y corrompre et à l'oublier.

En effet plus d'un an et demi s'était écoulé sans que madame de la Tour eût des nouvelles de sa tante et de sa fille : seulement elle avait appris, par une voie étrangère, que celle-ci était arrivée heureusement en France. Enfin elle reçut, par un vaisseau qui allait aux Indes, un paquet, et une lettre écrite de la propre main de Virginie. Malgré la circonspection de son aimable et indulgente fille, elle jugea qu'elle était fort malheureuse. Cette lettre peignait si bien sa situation et son caractère, que je l'ai retenue presque mot pour mot.

« Très chère et bien-aimée maman,

« Je vous ai déjà écrit plusieurs lettres de mon écriture ; et comme je n'en ai pas eu de réponse, j'ai lieu de craindre qu'elles ne vous soient point parvenues. J'espère mieux de celle-ci, par les précautions que j'ai prises pour vous donner de mes nouvelles, et pour recevoir des vôtres.

« J'ai versé bien des larmes depuis notre séparation, moi qui n'avais presque jamais pleuré que sur les maux d'autrui ! Ma grand-tante fut bien surprise à mon arrivée, lorsque

_____

1. De peu de vertu, trop libres.

m'ayant questionnée sur mes talents, je lui dis que je ne savais ni lire ni écrire. Elle me demanda qu'est-ce que j'avais donc appris depuis que j'étais au monde ; et quand je lui eus répondu que c'était à avoir soin d'un ménage et à faire votre volonté, elle me dit que j'avais reçu l'éducation d'une servante. Elle me mit, dès le lendemain, en pension dans une grande abbaye auprès de Paris, où j'ai des maîtres de toute espèce ; ils m'enseignent, entre autres choses, l'histoire, la géographie, la grammaire, la mathématique, et à monter à cheval ; mais j'ai de si faibles dispositions pour toutes ces sciences, que je ne profiterai pas beaucoup avec ces messieurs. Je sens que je suis une pauvre créature qui ai peu d'esprit, comme ils le font entendre. Cependant les bontés de ma tante ne se refroidissent point. Elle me donne des robes nouvelles à chaque saison. Elle a mis près de moi deux femmes de chambre, qui sont aussi bien parées que de grandes dames. Elle m'a fait prendre le titre de comtesse ; mais elle m'a fait quitter mon nom de LA TOUR, qui m'était aussi cher qu'à vous-même, par tout ce que vous m'avez raconté des peines que mon père avait souffertes pour vous épouser. Elle a remplacé votre nom de femme par celui de votre famille, qui m'est encore cher cependant, parce qu'il a été votre nom de fille. Me voyant dans une situation aussi brillante, je l'ai suppliée de vous envoyer quelques secours. Comment vous rendre sa réponse ? mais vous m'avez recommandé de vous dire toujours la vérité. Elle m'a donc répondu que peu ne vous servirait à rien, et que, dans la vie simple que vous menez, beaucoup vous embarrasserait. J'ai cherché d'abord à vous donner de mes nouvelles par une main étrangère, au défaut de la mienne. Mais n'ayant à mon arrivée ici personne en qui je pusse prendre confiance, je me suis appliquée nuit et jour à apprendre à lire et à écrire : Dieu m'a fait la grâce d'en venir à bout en peu de temps. J'ai chargé de l'envoi de mes premières lettres les dames qui sont autour de moi ; j'ai lieu de croire qu'elles les ont remises à ma grand-tante. Cette fois j'ai eu recours à une pensionnaire de mes amies :

c'est sous son adresse ci-jointe que je vous prie de me faire passer vos réponses. Ma grand-tante m'a interdit toute correspondance au-dehors, qui pourrait, selon elle, mettre obstacle aux grandes vues qu'elle a sur moi. Il n'y a qu'elle qui puisse me voir à la grille[1], ainsi qu'un vieux seigneur de ses amis, qui a, dit-elle, beaucoup de goût pour ma personne. Pour dire la vérité, je n'en ai point du tout pour lui, quand même j'en pourrais prendre pour quelqu'un.

« Je vis au milieu de l'éclat de la fortune, et je ne peux disposer d'un sou. On dit que si j'avais de l'argent cela tirerait à conséquence. Mes robes mêmes appartiennent à mes femmes de chambre, qui se les disputent avant que je les aie quittées. Au sein des richesses je suis bien plus pauvre que je ne l'étais auprès de vous ; car je n'ai rien à donner. Lorsque j'ai vu que les grands talents que l'on m'enseignait ne me procuraient pas la facilité de faire le plus petit bien, j'ai eu recours à mon aiguille, dont heureusement vous m'avez appris à faire usage. Je vous envoie donc plusieurs paires de bas de ma façon, pour vous et maman Marguerite, un bonnet pour Domingue, et un de mes mouchoirs rouges pour Marie. Je joins à ce paquet des pépins et des noyaux des fruits de mes collations, avec des graines de toutes sortes d'arbres que j'ai recueillies, à mes heures de récréation, dans le parc de l'abbaye. J'y ai ajouté aussi des semences de violettes, de marguerites, de bassinets, de coquelicots, de bluets, de scabieuses[2], que j'ai ramassées dans les champs. Il y a dans les prairies de ce pays de plus belles fleurs que dans les nôtres ; mais personne ne s'en soucie. Je suis sûre que vous et maman Marguerite serez plus contentes de ce sac de graines que du sac de piastres qui a été la cause de notre séparation et de mes larmes. Ce sera une grande joie pour moi si vous avez un jour la satisfaction de voir des

---

1. À la grille du couvent, c'est-à-dire à la grille séparant les pensionnaires du monde extérieur.
2. Le bassinet est une renoncule et la scabieuse est une plante herbacée aux vertus médicinales.

pommiers croître auprès de nos bananiers, et des hêtres mêler leurs feuillages à celui de nos cocotiers. Vous vous croirez dans la Normandie, que vous aimez tant.

« Vous m'avez enjoint de vous mander mes joies et mes peines. Je n'ai plus de joies loin de vous : pour mes peines, je les adoucis en pensant que je suis dans un poste où vous m'avez mise par la volonté de Dieu. Mais le plus grand chagrin que j'y éprouve est que personne ne me parle ici de vous, et que je n'en puis parler à personne. Mes femmes de chambre, ou plutôt celles de ma grand-tante, car elles sont plus à elle qu'à moi, me disent, lorsque je cherche à amener la conversation sur les objets qui me sont si chers : Mademoiselle, souvenez-vous que vous êtes Française, et que vous devez oublier le pays des sauvages. Ah ! je m'oublierais plutôt moi-même que d'oublier le lieu où je suis née, et où vous vivez ! C'est ce pays-ci qui est pour moi un pays de sauvages ; car j'y vis seule, n'ayant personne à qui je puisse faire part de l'amour que vous portera jusqu'au tombeau,

« Très chère et bien-aimée maman,

« Votre obéissante et tendre fille,

« VIRGINIE DE LA TOUR. »

« Je recommande à vos bontés Marie et Domingue, qui ont pris tant de soin de mon enfance ; caressez pour moi Fidèle, qui m'a retrouvée dans les bois. »

Paul fut bien étonné de ce que Virginie ne parlait pas du tout de lui, elle qui n'avait pas oublié, dans ses ressouvenirs, le chien de la maison : mais il ne savait pas que, quelque longue que soit la lettre d'une femme, elle n'y met jamais sa pensée la plus chère qu'à la fin.

Dans un post-scriptum Virginie recommandait particulièrement à Paul deux espèces de graines : celles de violettes et de scabieuses. Elle lui donnait quelques instructions sur les caractères de ces plantes, et sur les lieux les plus propres à les semer. « La violette, lui mandait-elle, produit une petite fleur d'un violet foncé, qui aime à se cacher sous les buissons ; mais son charmant parfum l'y fait bientôt découvrir. » Elle lui enjoignait de la semer sur le bord de la fontaine, au pied de son cocotier. « La scabieuse, ajoutait-elle, donne une jolie fleur d'un bleu mourant, et à fond noir piqueté de blanc. On la croirait en deuil. On l'appelle aussi, pour cette raison, fleur de veuve. Elle se plaît dans les lieux âpres et battus des vents. » Elle le priait de la semer sur le rocher où elle lui avait parlé la nuit, la dernière fois, et de donner à ce rocher, pour l'amour d'elle, le nom de ROCHER DES ADIEUX.

Elle avait renfermé ces semences dans une petite bourse dont le tissu était fort simple, mais qui parut sans prix à Paul lorsqu'il aperçut un P et un V entrelacés et formés de cheveux, qu'il reconnut à leur beauté pour être ceux de Virginie.

La lettre de cette sensible et vertueuse demoiselle fit verser des larmes à toute la famille. Sa mère lui répondit, au nom de la société, de rester ou de revenir à son gré, l'assurant qu'ils avaient tous perdu la meilleure partie de leur bonheur depuis son départ, et que pour elle en particulier elle en était inconsolable.

Paul lui écrivit une lettre fort longue où il l'assurait qu'il allait rendre le jardin digne d'elle, et y mêler les plantes de l'Europe à celles de l'Afrique, ainsi qu'elle avait entrelacé leurs noms dans son ouvrage. Il lui envoyait des fruits des cocotiers de sa fontaine, parvenus à une maturité parfaite. Il n'y joignait, ajoutait-il, aucune autre semence de l'île, afin que le désir d'en revoir les productions la déterminât à y revenir promptement. Il la suppliait de se rendre au plus tôt aux vœux ardents de leur famille, et aux siens particuliers, puisqu'il ne pouvait désormais goûter aucune joie loin d'elle.

Paul sema avec le plus grand soin les graines européennes, et surtout celles de violettes et de scabieuses, dont les fleurs semblaient avoir quelque analogie avec le caractère et la situation de Virginie, qui les lui avait si particulièrement recommandées ; mais, soit qu'elles eussent été éventées dans le trajet, soit plutôt que le climat de cette partie de l'Afrique ne leur soit pas favorable, il n'en germa qu'un petit nombre, qui ne put venir à sa perfection.

Cependant l'envie, qui va même au-devant du bonheur des hommes, surtout dans les colonies françaises, répandit dans l'île des bruits qui donnaient beaucoup d'inquiétude à Paul. Les gens du vaisseau qui avait apporté la lettre de Virginie assuraient qu'elle était sur le point de se marier : ils nommaient le seigneur de la cour qui devait l'épouser ; quelques-uns même disaient que la chose était faite et qu'ils en avaient été témoins. D'abord Paul méprisa des nouvelles apportées par un vaisseau de commerce, qui en répand souvent de fausses sur les lieux de son passage. Mais comme plusieurs habitants de l'île, par une pitié perfide, s'empressaient de le plaindre de cet événement, il commença à y ajouter quelque croyance. D'ailleurs dans quelques-uns des romans qu'il avait lus il voyait la trahison traitée de plaisanterie ; et comme il savait que ces livres renfermaient des peintures assez fidèles des mœurs de l'Europe, il craignit que la fille de madame de la Tour ne vînt à s'y corrompre, et à oublier ses anciens engagements. Ses lumières le rendaient déjà malheureux. Ce qui acheva d'augmenter ses craintes, c'est que plusieurs vaisseaux d'Europe arrivèrent ici depuis, dans l'espace de six mois, sans qu'aucun d'eux apportât des nouvelles de Virginie.

Cet infortuné jeune homme, livré à toutes les agitations de son cœur, venait me voir souvent, pour confirmer ou pour bannir ses inquiétudes par mon expérience du monde.

Je demeure, comme je vous l'ai dit, à une lieue et demie d'ici, sur les bords d'une petite rivière qui coule le long de la Montagne-longue. C'est là que je passe ma vie seul, sans femme, sans enfants, et sans esclaves.

Après le rare bonheur de trouver une compagne qui nous soit bien assortie, l'état le moins malheureux de la vie est sans doute de vivre seul. Tout homme qui a eu beaucoup à se plaindre des hommes cherche la solitude. Il est même très remarquable que tous les peuples malheureux par leurs opinions, leurs mœurs ou leurs gouvernements, ont produit des classes nombreuses de citoyens entièrement dévoués à la solitude et au célibat. Tels ont été les Égyptiens dans leur décadence, les Grecs du Bas-Empire ; et tels sont de nos jours les Indiens, les Chinois, les Grecs modernes, les Italiens, et la plupart des peuples orientaux et méridionaux de l'Europe. La solitude ramène en partie l'homme au bonheur naturel, en éloignant de lui le malheur social. Au milieu de nos sociétés, divisées par tant de préjugés, l'âme est dans une agitation continuelle ; elle roule sans cesse en elle-même mille opinions turbulentes et contradictoires dont les membres d'une société ambitieuse et misérable cherchent à se subjuguer les uns les autres. Mais dans la solitude elle dépose ces illusions étrangères qui la troublent ; elle reprend le sentiment simple d'elle-même, de la nature et de son auteur. Ainsi l'eau bourbeuse d'un torrent qui ravage les campagnes, venant à se répandre dans quelque petit bassin écarté de son cours, dépose ses vases au fond de son lit, reprend sa première limpidité, et, redevenue transparente, réfléchit, avec ses propres rivages, la verdure de la terre et la lumière des cieux. La solitude rétablit aussi bien les harmonies du corps que celles de l'âme. C'est dans la classe des solitaires que se trouvent les hommes qui poussent le plus loin la carrière de la vie ; tels sont les brames[1] de l'Inde. Enfin je la crois si nécessaire au bonheur dans le

---

1. Brame ou brahmane désigne un prêtre de la religion hindouiste.

monde même, qu'il me paraît impossible d'y goûter un plaisir durable, de quelque sentiment que ce soit, ou de régler sa conduite sur quelque principe stable, si l'on ne se fait une solitude intérieure, d'où notre opinion sorte bien rarement, et où celle d'autrui n'entre jamais. Je ne veux pas dire toutefois que l'homme doive vivre absolument seul : il est lié avec tout le genre humain par ses besoins ; il doit donc ses travaux aux hommes ; il se doit aussi au reste de la nature. Mais, comme Dieu a donné à chacun de nous des organes parfaitement assortis aux éléments du globe où nous vivons, des pieds pour le sol, des poumons pour l'air, des yeux pour la lumière, sans que nous puissions intervertir l'usage de ces sens, il s'est réservé pour lui seul, qui est l'auteur de la vie, le cœur, qui en est le principal organe.

Je passe donc mes jours loin des hommes, que j'ai voulu servir, et qui m'ont persécuté. Après avoir parcouru une grande partie de l'Europe, et quelques cantons de l'Amérique et de l'Afrique, je me suis fixé dans cette île peu habitée, séduit par sa douce température et par ses solitudes. Une cabane que j'ai bâtie dans la forêt au pied d'un arbre, un petit champ défriché de mes mains, une rivière qui coule devant ma porte, suffisent à mes besoins et à mes plaisirs. Je joins à ces jouissances celle de quelques bons livres qui m'apprennent à devenir meilleur. Ils font encore servir à mon bonheur le monde même que j'ai quitté ; ils me présentent des tableaux des passions qui en rendent les habitants si misérables, et par la comparaison que je fais de leur sort au mien, ils me font jouir d'un bonheur négatif. Comme un homme sauvé du naufrage sur un rocher, je contemple de ma solitude les orages qui frémissent dans le reste du monde ; mon repos même redouble par le bruit lointain de la tempête. Depuis que les hommes ne sont plus sur mon chemin, et que je ne suis plus sur le leur, je ne les hais plus ; je les plains. Si je rencontre quelque infortuné, je tâche de venir à son secours par mes conseils, comme un passant sur le bord d'un torrent tend la main à un malheureux qui s'y noie. Mais je n'ai guère trouvé que l'innocence attentive à ma voix. La nature appelle en vain à elle le reste des hommes ; chacun d'eux se fait d'elle une image qu'il revêt de ses propres passions. Il poursuit toute sa vie ce vain fantôme qui l'égare, et il se plaint ensuite au ciel de l'erreur qu'il s'est formée lui-même. Parmi un grand nombre d'infortunés que j'ai quelquefois essayé de ramener à la nature, je n'en ai pas trouvé un seul qui ne fût enivré de ses propres misères. Ils m'écoutaient d'abord avec attention dans l'espérance que je les aiderais à acquérir de la gloire ou de la fortune ; mais voyant que je ne voulais leur apprendre qu'à s'en passer, ils me trouvaient moi-même misérable de ne pas courir après leur malheureux bonheur : ils blâmaient ma vie solitaire ; ils prétendaient qu'eux seuls étaient utiles aux hommes, et ils s'efforçaient de m'entraîner dans leur tourbillon. Mais si je me communique à tout le monde, je ne me livre à personne. Souvent il me suffit de moi pour me servir de leçon à moi-même. Je repasse dans le calme présent les agitations passées de ma propre vie, auxquelles j'ai donné tant de prix ; les protections, la fortune, la réputation, les voluptés, et les opinions qui se combattent par toute la terre. Je compare tant d'hommes que j'ai vus se disputer avec fureur ces chimères, et qui ne sont plus, aux flots de ma rivière, qui se brisent en écumant contre les rochers de son lit, et disparaissent pour ne revenir jamais. Pour moi, je me laisse entraîner en paix au fleuve du temps, vers l'océan de l'avenir qui n'a plus de rivages et par le spectacle des harmonies actuelles de la nature, je m'élève vers son auteur, et j'espère dans un autre monde de plus heureux destins.

Quoiqu'on n'aperçoive pas de mon ermitage, situé au milieu d'une forêt, cette multitude d'objets que nous présente l'élévation du lieu où nous sommes, il s'y trouve des dispositions intéressantes, surtout pour un homme qui, comme moi, aime mieux rentrer en lui-même que s'étendre au-dehors. La rivière qui coule devant ma porte passe en ligne droite à travers les bois, en sorte qu'elle me présente un long canal ombragé d'arbres de toutes sortes de feuillages : il y a des tatamaques, des bois d'ébène, et de ceux qu'on appelle ici bois de pomme, bois d'olive, et bois de cannelle ; des bosquets de palmistes élèvent çà et là leurs colonnes nues, et longues de plus de cent pieds, surmontées à leurs sommets d'un bouquet de palmes, et paraissent au-dessus des autres arbres comme une forêt plantée sur une autre forêt. Il s'y joint des lianes de divers feuillages, qui, s'enlaçant d'un arbre à l'autre, forment ici des arcades de fleurs, là de longues courtines de verdure. Des odeurs aromatiques sortent de la plupart de ces arbres, et leurs parfums ont tant d'influence sur les vêtements mêmes, qu'on sent ici un homme qui a traversé une forêt quelques heures après qu'il en est sorti. Dans la saison où ils donnent leurs fleurs vous les diriez à demi couverts de neige. À la fin de l'été plusieurs espèces d'oiseaux étrangers viennent, par un instinct incompréhensible, de régions inconnues, au-delà des vastes mers, récolter les graines des végétaux de cette île, et opposent l'éclat de leurs couleurs à la verdure des arbres rembrunie par le soleil. Telles sont, entre autres, diverses espèces de perruches, et les pigeons bleus, appelés ici pigeons hollandais. Les singes, habitants domiciliés de ces forêts, se jouent dans leurs sombres rameaux, dont ils se détachent par leur poil gris et verdâtre, et leur face toute noire ; quelques-uns s'y suspendent par la queue et se balancent en l'air ; d'autres sautent de branche en branche, portant leurs petits dans leurs bras. Jamais le fusil meurtrier n'y a effrayé ces paisibles enfants de la nature. On n'y entend que des cris de joie, des gazouillements et des ramages inconnus de quelques oiseaux des terres australes, que répètent au loin les échos de ces forêts. La rivière qui coule en bouillonnant sur un lit de roche, à travers les arbres, réfléchit çà et là dans ses eaux limpides leurs masses vénérables de verdure et d'ombre, ainsi que les jeux de leurs heureux habitants : à mille pas de là elle se précipite de différents étages de rocher, et forme à sa chute une nappe d'eau unie comme le cristal, qui se brise en tombant en bouillons d'écume. Mille bruits confus sortent de ces eaux tumultueuses, et dispersés par les vents dans la forêt, tantôt ils fuient au loin, tantôt ils se rapprochent tous à la fois, et assourdissent, comme les sons des cloches d'une cathédrale. L'air, sans cesse renouvelé par le mouvement des eaux, entretient sur les bords de cette rivière, malgré les ardeurs de l'été, une verdure et une fraîcheur, qu'on trouve rarement dans cette île sur le haut même des montagnes.

À quelque distance de là est un rocher assez éloigné de la cascade pour qu'on n'y soit pas étourdi du bruit de ses eaux, et qui en est assez voisin pour y jouir de leur vue, de leur fraîcheur et de leur murmure. Nous allions quelquefois dans les grandes chaleurs dîner à l'ombre de ce rocher, madame de la Tour, Marguerite, Virginie, Paul et moi. Comme Virginie dirigeait toujours au bien d'autrui ses actions même les plus communes, elle ne mangeait pas un fruit à la campagne qu'elle n'en mît en terre les noyaux ou les pépins : « Il en viendra, disait-elle, des arbres qui donneront leurs fruits à quelque voyageur, ou au moins à un oiseau. » Un jour donc qu'elle avait mangé une papaye au pied de ce rocher, elle y planta les semences de ce fruit. Bientôt après il y crût plusieurs papayers, parmi lesquels il y en avait un femelle, c'est-à-dire qui porte des fruits. Cet arbre n'était pas si haut que le genou de Virginie à son départ ; mais comme il croît vite, deux ans après il avait vingt pieds de hauteur, et son tronc était entouré dans sa partie supérieure de plusieurs rangs de fruits mûrs. Paul, s'étant rendu par hasard dans ce lieu, fut rempli de joie en voyant ce grand arbre sorti d'une petite graine qu'il avait vu planter par son amie ; et en même temps il fut saisi d'une tristesse profonde par ce témoignage de sa longue absence. Les objets que nous voyons habituellement ne nous font pas apercevoir de la rapidité de notre vie ; ils vieillissent avec nous d'une vieillesse insensible : mais ce sont ceux que nous revoyons tout à coup après les avoir perdus quelques années de vue, qui nous avertissent de la vitesse avec laquelle s'écoule le fleuve de nos jours. Paul fut aussi surpris et aussi troublé à la vue de ce grand papayer chargé de fruits, qu'un voyageur l'est, après une longue absence de son pays, de n'y plus retrouver ses contemporains, et d'y voir leurs enfants qu'il avait laissés à la mamelle, devenus eux-mêmes pères de famille. Tantôt il voulait l'abattre, parce qu'il lui rendait trop sensible la longueur du temps qui s'était écoulé depuis le départ de Virginie ; tantôt, le considérant comme un monument de sa bienfaisance, il baisait son tronc, et lui adressait des paroles pleines d'amour et de regrets. Ô arbre dont la postérité existe encore dans nos bois, je vous ai vu moi-même avec plus d'intérêt et de vénération que les arcs de triomphe des Romains ! Puisse la nature, qui détruit chaque jour les monuments de l'ambition des rois, multiplier dans nos forêts ceux de la bienfaisance d'une jeune et pauvre fille !

C'était donc au pied de ce papayer que j'étais sûr de rencontrer Paul quand il venait dans mon quartier. Un jour je l'y trouvai accablé de mélancolie, et j'eus avec lui une conversation que je vais vous rapporter, si je ne vous suis point trop ennuyeux par mes longues digressions, pardonnables à mon âge et à mes dernières amitiés. Je vous la raconterai en forme de dialogue, afin que vous jugiez du bon sens naturel de ce jeune homme ; et il vous sera aisé de faire la différence des interlocuteurs par le sens de ses questions et de mes réponses.

Il me dit :

« Je suis bien chagrin. Mademoiselle de la Tour est partie depuis deux ans et deux mois ; et depuis huit mois et demi elle ne nous a pas donné de ses nouvelles. Elle est riche ; je suis pauvre : elle m'a oublié. J'ai envie de m'embarquer : j'irai en France, j'y servirai le roi, j'y ferai fortune ; et la grand-tante de mademoiselle de la Tour me donnera sa petite-nièce en mariage, quand je serai devenu un grand seigneur.

LE VIEILLARD : « Oh mon ami ! ne m'avez-vous pas dit que vous n'aviez pas de naissance[1] ?

PAUL : « Ma mère me l'a dit ; car pour moi je ne sais ce que c'est que la naissance. Je ne me suis jamais aperçu que j'en eusse moins qu'un autre, ni que les autres en eussent plus que moi.

LE VIEILLARD : « Le défaut de naissance vous ferme en France le chemin aux grands emplois. Il y a plus : vous ne pouvez même être admis dans aucun Corps distingué[2].

---

1. Que vous n'étiez pas d'une famille noble.
2. Les « corps » sont dans la société de l'Ancien Régime les communautés qui déterminent l'identité, mais aussi les droits et les privilèges de chacun (du point de vue juridique et fiscal en particulier). La critique touche ici à un point essentiel de la société de l'Ancien Régime : la répartition des individus en « corps » fixes, soit en communautés définies par l'appartenance géographique, sociale, le métier (on parle alors de corporations), etc. Les corporations de métiers sont abolies pendant la Révolution française, par la loi Le Chapelier du 14 juin 1791.

PAUL : « Vous m'avez dit plusieurs fois qu'une des causes de la grandeur de la France était que le moindre sujet pouvait y parvenir à tout, et vous m'avez cité beaucoup d'hommes célèbres qui, sortis de petits états, avaient fait honneur à leur patrie. Vous vouliez donc tromper mon courage ?

LE VIEILLARD : « Mon fils, jamais je ne l'abattrai. Je vous ai dit la vérité sur les temps passés ; mais les choses sont bien changées à présent : tout est devenu vénal[1] en France ; tout y est aujourd'hui le patrimoine d'un petit nombre de familles, ou le partage des Corps. Le roi est un soleil que les grands[2] et les Corps environnent comme des nuages ; il est presque impossible qu'un de ses rayons tombe sur vous. Autrefois, dans une administration moins compliquée, on a vu ces phénomènes. Alors les talents et le mérite se sont développés de toutes parts, comme des terres nouvelles qui, venant à être défrichées, produisent avec tout leur suc. Mais les grands rois qui savent connaître les hommes et les choisir sont rares. Le vulgaire des rois ne se laisse aller qu'aux impulsions des grands et des Corps qui les environnent.

PAUL : « Mais je trouverai peut-être un de ces grands qui me protégera ?

LE VIEILLARD : « Pour être protégé des grands il faut servir leur ambition ou leurs plaisirs. Vous n'y réussirez jamais, car vous êtes sans naissance, et vous avez de la probité.

PAUL : « Mais je ferai des actions si courageuses, je serai si fidèle à ma parole, si exact dans mes devoirs, si zélé et si constant dans mon amitié, que je mériterai d'être adopté

---

1. Qui peut s'acheter. La critique touche ici à la vénalité des charges, c'est-à-dire la possibilité, surtout depuis le XVIIe siècle, d'acheter des fonctions administratives.

2. L'expression désigne les plus hauts personnages du royaume.

par quelqu'un d'eux, comme j'ai vu que cela se pratiquait dans les histoires anciennes que vous m'avez fait lire.

LE VIEILLARD : « Oh mon ami ! chez les Grecs et chez les Romains, même dans leur décadence, les grands avaient du respect pour la vertu ; mais nous avons eu une foule d'hommes célèbres en tout genre, sortis des classes du peuple, et je n'en sache pas un seul qui ait été adopté par une grande maison. La vertu, sans nos rois, serait condamnée en France à être éternellement plébéienne[1]. Comme je vous l'ai dit, ils la mettent quelquefois en honneur lorsqu'ils l'aperçoivent ; mais aujourd'hui les distinctions qui lui étaient réservées ne s'accordent plus que pour de l'argent.

PAUL : « Au défaut d'un grand je chercherai à plaire à un Corps. J'épouserai entièrement son esprit et ses opinions : je m'en ferai aimer.

LE VIEILLARD : « Vous ferez donc comme les autres hommes, vous renoncerez à votre conscience pour parvenir à la fortune ?

PAUL : « Oh non ! je ne chercherai jamais que la vérité.

LE VIEILLARD : « Au lieu de vous faire aimer, vous pourriez bien vous faire haïr. D'ailleurs les Corps s'intéressent fort peu à la découverte de la vérité. Toute opinion est indifférente aux ambitieux, pourvu qu'ils gouvernent.

PAUL : « Que je suis infortuné ! tout me repousse. Je suis condamné à passer ma vie dans un travail obscur, loin de Virginie ! » Et il soupira profondément.

LE VIEILLARD : « Que Dieu soit votre unique patron, et le genre humain votre Corps ! Soyez constamment attaché à l'un et à l'autre. Les familles, les Corps, les peuples, les rois, ont leurs préjugés et leurs passions ; il faut souvent les servir par des vices. Dieu et le genre humain ne nous demandent que des vertus.

---

1. Rattachée à la plèbe, c'est-à-dire au peuple.

« Mais pourquoi voulez-vous être distingué du reste des hommes ? C'est un sentiment qui n'est pas naturel, puisque, si chacun l'avait, chacun serait en état de guerre avec son voisin. Contentez-vous de remplir votre devoir dans l'état où la Providence vous a mis ; bénissez votre sort, qui vous permet d'avoir une conscience à vous, et qui ne vous oblige pas, comme les grands, de mettre votre bonheur dans l'opinion des petits, et comme les petits de ramper sous les grands pour avoir de quoi vivre. Vous êtes dans un pays et dans une condition où, pour subsister, vous n'avez besoin ni de tromper, ni de flatter, ni de vous avilir, comme font la plupart de ceux qui cherchent la fortune en Europe ; où votre état ne vous interdit aucune vertu ; où vous pouvez être impunément bon, vrai, sincère, instruit, patient, tempérant, chaste, indulgent, pieux, sans qu'aucun ridicule vienne flétrir votre sagesse, qui n'est encore qu'en fleur. Le ciel vous a donné de la liberté, de la santé, une bonne conscience, et des amis : les rois, dont vous ambitionnez la faveur, ne sont pas si heureux.

PAUL : « Ah ! il me manque Virginie ! Sans elle je n'ai rien ; avec elle j'aurais tout. Elle seule est ma naissance, ma gloire, et ma fortune. Mais puisque enfin sa parente veut lui donner pour mari un homme d'un grand nom, avec l'étude et des livres on devient savant et célèbre : je m'en vais étudier. J'acquerrai de la science ; je servirai utilement ma patrie par mes lumières, sans nuire à personne, et sans en dépendre ; je deviendrai fameux, et ma gloire n'appartiendra qu'à moi.

LE VIEILLARD : « Mon fils, les talents sont encore plus rares que la naissance et que les richesses ; et sans doute ils sont de plus grands biens, puisque rien ne peut les ôter, et que partout ils nous concilient l'estime publique : mais ils coûtent cher. On ne les acquiert que par des privations en tout genre, par une sensibilité exquise qui nous rend malheureux au-dedans, et au-dehors par les persécutions de nos contemporains. L'homme de robe n'envie point en France la gloire du militaire, ni le militaire celle de l'homme de mer ; mais tout le monde y traversera votre chemin, parce que tout le monde s'y pique d'avoir de l'esprit. Vous servirez les hommes, dites-vous ? Mais celui qui fait produire à un terrain une gerbe de blé de plus leur rend un plus grand service que celui qui leur donne un livre.

PAUL : « Oh ! celle qui a planté ce papayer a fait aux habitants de ces forêts un présent plus utile et plus doux que si elle leur avait donné une bibliothèque. » Et en même temps il saisit cet arbre dans ses bras, et le baisa avec transport.

LE VIEILLARD : « Le meilleur des livres, qui ne prêche que l'égalité, l'amitié, l'humanité, et la concorde, l'Évangile, a servi pendant des siècles de prétexte aux fureurs des Européens. Combien de tyrannies publiques et particuliè-res s'exercent encore en son nom sur la terre ! Après cela, qui se flattera d'être utile aux hommes par un livre ? Rappelez-vous quel a été le sort de la plupart des philoso-phes qui leur ont prêché la sagesse. Homère, qui l'a revê-tue de vers si beaux, demandait l'aumône pendant sa vie. Socrate, qui en donna aux Athéniens de si aimables leçons par ses discours et par ses mœurs, fut empoisonné juridi-quement par eux. Son sublime disciple Platon fut livré à l'esclavage par l'ordre du prince même qui le protégeait[1] : et avant eux, Pythagore, qui étendait l'humanité jusqu'aux

---

1. Homère est un poète grec fameux pour les épopées l'*Iliade* et l'*Odyssée* (VIII⁰ siècle avant J.-C.) ; Socrate est un philosophe dont l'œuvre orale a été consignée par Platon, notamment dans ses *Dialogues* (Vᵉ - IVᵉ siècle avant J.-C.).

animaux, fut brûlé vif par les Crotoniates[1]. Que dis-je ? la
plupart même de ces noms illustres sont venus à nous
défigurés par quelques traits de satire qui les caractérisent,
l'ingratitude humaine se plaisant à les reconnaître là ; et si
dans la foule la gloire de quelques-uns est venue nette et
pure jusqu'à nous, c'est que ceux qui les ont portés ont
vécu loin de la société de leurs contemporains : semblables
à ces statues qu'on tire entières des champs de la Grèce
et de l'Italie, et qui, pour avoir été ensevelies dans le sein
de la terre, ont échappé à la fureur des barbares.

« Vous voyez donc que, pour acquérir la gloire orageuse
des lettres, il faut bien de la vertu, et être prêt à sacrifier
sa propre vie. D'ailleurs, croyez-vous que cette gloire intéresse en France les gens riches ? Ils se soucient bien des
gens de lettres, auxquels la science ne rapporte ni dignité
dans la patrie, ni gouvernement, ni entrée à la cour. On
persécute peu dans ce siècle indifférent à tout, hors à la
fortune et aux voluptés ; mais les lumières et la vertu n'y
mènent à rien de distingué, parce que tout est dans l'État
le prix de l'argent. Autrefois elles trouvaient des récom-
penses assurées dans les différentes places de l'Église, de la
magistrature et de l'administration ; aujourd'hui elles ne
servent qu'à faire des livres. Mais ce fruit, peu prisé des
gens du monde, est toujours digne de son origine céleste.
C'est à ces mêmes livres qu'il est réservé particulièrement
de donner de l'éclat à la vertu obscure, de consoler les
malheureux, d'éclairer les nations, et de dire la vérité même
aux rois. C'est, sans contredit, la fonction la plus auguste
dont le ciel puisse honorer un mortel sur la terre. Quel

---

1. Légende attachée à la fin du philosophe et mathématicien grec
Pythagore (ve siècle avant J.-C.), selon laquelle il serait mort dans un
incendie provoqué dans la maison où il était hébergé par les habitants de Crotone, au sud de l'Italie (alors colonie grecque).

est l'homme qui ne se console de l'injustice ou du mépris de ceux qui disposent de la fortune, lorsqu'il pense que son ouvrage ira, de siècle en siècle et de nations en nations, servir de barrière à l'erreur et aux tyrans ; et que, du sein de l'obscurité où il a vécu, il jaillira une gloire qui effacera celle de la plupart des rois, dont les monuments périssent dans l'oubli, malgré les flatteurs qui les élèvent et qui les vantent ?

PAUL : « Ah ! je ne voudrais cette gloire que pour la répandre sur Virginie, et la rendre chère à l'univers. Mais vous qui avez tant de connaissances, dites-moi si nous nous marierons ? Je voudrais être savant, au moins pour connaître l'avenir.

LE VIEILLARD : « Qui voudrait vivre, mon fils, s'il connaissait l'avenir ? Un seul malheur prévu nous donne tant de vaines inquiétudes ! la vue d'un malheur certain empoisonnerait tous les jours qui le précéderaient. Il ne faut pas même trop approfondir ce qui nous environne ; et le ciel, qui nous donna la réflexion pour prévoir nos besoins, nous a donné les besoins pour mettre des bornes à notre réflexion.

PAUL : « Avec de l'argent, dites-vous, on acquiert en Europe des dignités et des honneurs. J'irai m'enrichir au Bengale pour aller épouser Virginie à Paris. Je vais m'embarquer.

LE VIEILLARD : « Quoi ! vous quitteriez sa mère et la vôtre ?

PAUL : « Vous m'avez vous-même donné le conseil de passer aux Indes.

LE VIEILLARD : « Virginie était alors ici. Mais vous êtes maintenant l'unique soutien de votre mère et de la sienne.

PAUL : « Virginie leur fera du bien par sa riche parente.

LE VIEILLARD : « Les riches n'en font guère qu'à ceux qui leur font honneur dans le monde. Ils ont des parents bien plus à plaindre que madame de la Tour, qui, faute d'être secourus par eux, sacrifient leur liberté pour avoir du pain et passent leur vie renfermés dans des couvents.

PAUL : « Quel pays que l'Europe ! Oh ! il faut que Virginie revienne ici. Qu'a-t-elle besoin d'avoir une parente riche ? Elle était si contente sous ces cabanes, si jolie et si bien parée avec un mouchoir rouge ou des fleurs autour de sa tête. Reviens, Virginie ! quitte tes hôtels et tes grandeurs. Reviens dans ces rochers, à l'ombre de ces bois et de nos cocotiers. Hélas ! tu es peut-être maintenant malheureuse !… » Et il se mettait à pleurer. « Mon père, ne me cachez rien : si vous ne pouvez me dire si j'épouserai Virginie, au moins apprenez-moi si elle m'aime encore, au milieu de ces grands seigneurs qui parlent au roi, et qui la vont voir.

LE VIEILLARD : « Oh ! mon ami, je suis sûr qu'elle vous aime par plusieurs raisons, mais surtout parce qu'elle a de la vertu. » À ces mots il me sauta au cou, transporté de joie.

PAUL : « Mais croyez-vous les femmes d'Europe fausses comme on les représente dans les comédies et dans les livres que vous m'avez prêtés ?

LE VIEILLARD : « Les femmes sont fausses dans les pays où les hommes sont tyrans. Partout la violence produit la ruse.

PAUL : « Comment peut-on être tyran des femmes ?

LE VIEILLARD : « En les mariant sans les consulter, une jeune fille avec un vieillard, une femme sensible avec un homme indifférent.

PAUL : « Pourquoi ne pas marier ensemble ceux qui se conviennent, les jeunes avec les jeunes, les amants avec les amantes ?

LE VIEILLARD : « C'est que la plupart des jeunes gens,

en France, n'ont pas assez de fortune pour se marier, et qu'ils n'en acquièrent qu'en devenant vieux. Jeunes, ils corrompent les femmes de leurs voisins ; vieux, ils ne peuvent fixer l'affection de leurs épouses. Ils ont trompé, étant jeunes ; on les trompe à leur tour, étant vieux. C'est une des réactions de la justice universelle qui gouverne le monde. Un excès y balance toujours un autre excès. Ainsi la plupart des Européens passent leur vie dans ce double désordre, et ce désordre augmente dans une société à mesure que les richesses s'y accumulent sur un moindre nombre de têtes. L'État est semblable à un jardin, où les petits arbres ne peuvent venir s'il y en a de trop grands qui les ombragent ; mais il y a cette différence que la beauté d'un jardin peut résulter d'un petit nombre de grands arbres, et que la prospérité d'un État dépend toujours de la multitude et de l'égalité des sujets, et non pas d'un petit nombre de riches.

PAUL : « Mais qu'est-il besoin d'être riche pour se marier ?

LE VIEILLARD : « Afin de passer ses jours dans l'abondance sans rien faire.

PAUL : « Et pourquoi ne pas travailler ? Je travaille bien, moi.

LE VIEILLARD : « C'est qu'en Europe le travail des mains déshonore. On l'appelle travail mécanique. Celui même de labourer la terre y est le plus méprisé de tous. Un artisan y est bien plus estimé qu'un paysan.

PAUL : « Quoi ! l'art qui nourrit les hommes est méprisé en Europe ! Je ne vous comprends pas.

LE VIEILLARD : « Oh ! il n'est pas possible à un homme élevé dans la nature de comprendre les dépravations de la société. On se fait une idée précise de l'ordre, mais non pas du désordre. La beauté, la vertu, le bonheur, ont des proportions ; la laideur, le vice, et le malheur, n'en ont point.

PAUL : « Les gens riches sont donc bien heureux ! ils ne trouvent d'obstacles à rien ; ils peuvent combler de plaisirs les objets qu'ils aiment.

LE VIEILLARD : « Ils sont la plupart usés sur tous les plaisirs, par cela même qu'ils ne leur coûtent aucunes peines. N'avez-vous pas éprouvé que le plaisir du repos s'achète par la fatigue ; celui de manger, par la faim ; celui de boire, par la soif ? Eh bien ! celui d'aimer et d'être aimé ne s'acquiert que par une multitude de privations et de sacrifices. Les richesses ôtent aux riches tous ces plaisirs-là en prévenant leurs besoins. Joignez à l'ennui qui suit leur satiété l'orgueil qui naît de leur opulence, et que la moindre privation blesse lors même que les plus grandes jouissances ne le flattent plus. Le parfum de mille roses ne plaît qu'un instant ; mais la douleur que cause une seule de leurs épines dure longtemps après sa piqûre. Un mal au milieu des plaisirs est pour les riches une épine au milieu des fleurs. Pour les pauvres, au contraire, un plaisir au milieu des maux est une fleur au milieu des épines ; ils en goûtent vivement la jouissance. Tout effet augmente par son contraste. La nature a tout balancé[1]. Quel état, à tout prendre, croyez-vous préférable, de n'avoir presque rien à espérer et tout à craindre, ou presque rien à craindre et tout à espérer ? Le premier état est celui des riches, et le second celui des pauvres. Mais ces extrêmes sont également difficiles à supporter aux hommes dont le bonheur consiste dans la médiocrité et la vertu.

PAUL : « Qu'entendez-vous par la vertu ?

LE VIEILLARD : « Mon fils ! vous qui soutenez vos parents par vos travaux, vous n'avez pas besoin qu'on vous la définisse. La vertu est un effort fait sur nous-mêmes

---

1. Équilibré.

pour le bien d'autrui dans l'intention de plaire à Dieu seul.

PAUL : « Oh ! que Virginie est vertueuse ! C'est par vertu qu'elle a voulu être riche, afin d'être bienfaisante. C'est par vertu qu'elle est partie de cette île : la vertu l'y ramènera. » L'idée de son retour prochain allumant l'imagination de ce jeune homme, toutes ses inquiétudes s'évanouissaient. Virginie n'avait point écrit, parce qu'elle allait arriver. Il fallait si peu de temps pour venir d'Europe avec un bon vent ! Il faisait l'énumération des vaisseaux qui avaient fait ce trajet de quatre mille cinq cents lieues en moins de trois mois. Le vaisseau où elle s'était embarquée n'en mettrait pas plus de deux : les constructeurs étaient aujourd'hui si savants, et les marins si habiles ! Il parlait des arrangements qu'il allait faire pour la recevoir, du nouveau logement qu'il allait bâtir, des plaisirs et des surprises qu'il lui ménagerait chaque jour quand elle serait sa femme. Sa femme !... cette idée le ravissait. « Au moins, mon père, me disait-il, vous ne ferez plus rien que pour votre plaisir. Virginie étant riche, nous aurons beaucoup de noirs qui travailleront pour vous. Vous serez toujours avec nous, n'ayant d'autre souci que celui de vous amuser et de vous réjouir. » Et il allait, hors de lui, porter à sa famille la joie dont il était enivré.

En peu de temps les grandes craintes succèdent aux grandes espérances. Les passions violentes jettent toujours l'âme dans les extrémités opposées. Souvent, dès le lendemain, Paul revenait me voir, accablé de tristesse. Il me disait : « Virginie ne m'écrit point. Si elle était partie d'Europe elle m'aurait mandé son départ. Ah ! les bruits qui ont couru d'elle ne sont que trop fondés ! sa tante l'a mariée à un grand seigneur. L'amour des richesses l'a perdue comme tant d'autres. Dans ces livres qui peignent si bien les femmes la vertu n'est qu'un sujet de roman. Si

Virginie avait eu de la vertu, elle n'aurait pas quitté sa propre mère et moi. Pendant que je passe ma vie à penser à
elle, elle m'oublie. Je m'afflige, et elle se divertit. Ah ! cette
pensée me désespère. Tout travail me déplaît ; toute société
m'ennuie. Plût à Dieu que la guerre fût déclarée dans
l'Inde ! j'irais y mourir. »

« Mon fils, lui répondis-je, le courage qui nous jette dans
la mort n'est que le courage d'un instant. Il est souvent
excité par les vains applaudissements des hommes. Il en
est un plus rare et plus nécessaire qui nous fait supporter
chaque jour, sans témoin et sans éloge, les traverses de la
vie ; c'est la patience. Elle s'appuie, non sur l'opinion d'autrui
ou sur l'impulsion de nos passions, mais sur la volonté de
Dieu. La patience est le courage de la vertu. »

« Ah ! s'écria-t-il, je n'ai donc point de vertu ! Tout
m'accable et me désespère. — La vertu, repris-je, toujours
égale, constante, invariable, n'est pas le partage de l'homme.
Au milieu de tant de passions qui nous agitent, notre raison se trouble et s'obscurcit ; mais il est des phares où
nous pouvons en rallumer le flambeau : ce sont les lettres.

« Les lettres, mon fils, sont un secours du ciel. Ce sont
des rayons de cette sagesse qui gouverne l'univers, que
l'homme, inspiré par un art céleste, a appris à fixer sur la
terre. Semblables aux rayons du soleil, elles éclairent, elles
réjouissent, elles échauffent ; c'est un feu divin. Comme le
feu, elles approprient toute la nature à notre usage. Par
elles nous réunissons autour de nous les choses, les lieux,
les hommes et les temps. Ce sont elles qui nous rappellent
aux règles de la vie humaine. Elles calment les passions ;
elles répriment les vices ; elles excitent les vertus par les
exemples augustes des gens de bien qu'elles célèbrent, et
dont elles nous présentent les images toujours honorées.
Ce sont des filles du ciel qui descendent sur la terre pour
charmer les maux du genre humain. Les grands écrivains

qu'elles inspirent ont toujours paru dans les temps les plus difficiles à supporter à toute société, les temps de barbarie et ceux de dépravation. Mon fils, les lettres ont consolé une infinité d'hommes plus malheureux que vous : Xénophon, exilé de sa patrie après y avoir ramené dix mille Grecs ; Scipion l'Africain, lassé des calomnies des Romains ; Lucullus, de leurs brigues ; Catinat, de l'ingratitude de sa cour[1]. Les Grecs, si ingénieux, avaient réparti à chacune des Muses[2] qui président aux lettres une partie de notre entendement, pour le gouverner : nous devons donc leur donner nos passions à régir, afin qu'elles leur imposent un joug et un frein. Elles doivent remplir, par rapport aux puissances de notre âme, les mêmes fonctions que les Heures qui attelaient et conduisaient les chevaux du Soleil.

« Lisez donc, mon fils. Les sages qui ont écrit avant nous sont des voyageurs qui nous ont précédés dans les sentiers de l'infortune, qui nous tendent la main, et nous invitent à nous joindre à leur compagnie lorsque tout nous abandonne. Un bon livre est un bon ami. »

« Ah ! s'écriait Paul, je n'avais pas besoin de savoir lire quand Virginie était ici. Elle n'avait pas plus étudié que moi ; mais quand elle me regardait en m'appelant son ami, il m'était impossible d'avoir du chagrin.

« Sans doute, lui disais-je, il n'y a point d'ami aussi agréable qu'une maîtresse qui nous aime. Il y a de plus dans la femme une gaieté légère qui dissipe la tristesse de l'homme. Ses grâces font évanouir les noirs fantômes de la réflexion.

---

1. Xénophon est un philosophe et chef militaire de la Grèce antique (IVe siècle avant J.-C.) ; Scipion l'Africain et Lucullus sont des hommes d'État et généraux romains (IIIe-IIe siècle et Ier siècle avant J.-C.) ; Nicolas Catinat est un chef militaire français qui servit sous Louis XIV avant d'être disgracié après avoir subi plusieurs revers.

2. Dans la mythologie antique, les Muses sont les divinités qui représentent les arts.

Sur son visage sont les doux attraits et la confiance. Quelle joie n'est rendue plus vive par sa joie ? quel front ne se déride à son sourire ? quelle colère résiste à ses larmes ? Virginie reviendra avec plus de philosophie que vous n'en avez. Elle sera bien surprise de ne pas retrouver le jardin tout à fait rétabli, elle qui ne songe qu'à l'embellir, malgré les persécutions de sa parente, loin de sa mère et de vous. »

L'idée du retour prochain de Virginie renouvelait le courage de Paul, et le ramenait à ses occupations champêtres. Heureux au milieu de ses peines de proposer à son travail une fin qui plaisait à sa passion !

Un matin, au point du jour (c'était le 24 décembre 1744[1]), Paul, en se levant, aperçut un pavillon blanc arboré sur la montagne de la Découverte. Ce pavillon était le signalement d'un vaisseau qu'on voyait en mer. Paul courut à la ville pour savoir s'il n'apportait pas des nouvelles de Virginie. Il y resta jusqu'au retour du pilote du port, qui s'était embarqué pour aller le reconnaître, suivant l'usage. Cet homme ne revint que le soir. Il rapporta au gouverneur que le vaisseau signalé était le Saint-Géran, du port de 700 tonneaux, commandé par un capitaine appelé M. Aubin[2] ; qu'il était à quatre lieues au large, et qu'il ne mouillerait au Port-Louis que le lendemain dans l'après-midi, si le vent était favorable. Il n'en faisait point du tout alors. Le pilote remit au gouverneur les lettres que ce vaisseau apportait de France. Il y en avait une pour madame de la Tour, de l'écriture de Virginie. Paul s'en saisit aussitôt, la baisa avec transport, la mit dans son sein, et courut à l'habitation. Du plus loin qu'il aperçut la famille, qui attendait son retour sur le rocher des Adieux, il éleva la lettre en l'air sans pou-

---

1. Le naufrage du *Saint-Géran* s'est en fait produit historiquement le 17 août 1744.
2. Le capitaine se nomme en réalité Gabriel-Richard de la Marre.

voir parler ; et aussitôt tout le monde se rassembla chez
madame de la Tour pour en entendre la lecture. Virginie
mandait à sa mère qu'elle avait éprouvé beaucoup de mauvais procédés de la part de sa grand-tante, qui l'avait voulu
marier malgré elle, ensuite déshéritée, et enfin renvoyée
dans un temps qui ne lui permettait d'arriver à l'Île-de-
France que dans la saison des ouragans ; qu'elle avait essayé
en vain de la fléchir, en lui représentant ce qu'elle devait à
sa mère et aux habitudes du premier âge ; qu'elle en avait
été traitée de fille insensée dont la tête était gâtée par les
romans ; qu'elle n'était maintenant sensible qu'au bonheur
de revoir et d'embrasser sa chère famille, et qu'elle eût
satisfait cet ardent désir dès le jour même, si le capitaine
lui eût permis de s'embarquer dans la chaloupe du pilote ;
mais qu'il s'était opposé à son départ à cause de l'éloigne-
ment de la terre, et d'une grosse mer qui régnait au large,
malgré le calme des vents.

À peine cette lettre fut lue que toute la famille, trans-
portée de joie, s'écria : « Virginie est arrivée ! » Maîtresse et
serviteurs, tous s'embrassèrent. Madame de la Tour dit à
Paul : « Mon fils, allez prévenir notre voisin de l'arrivée de
Virginie. » Aussitôt Domingue alluma un flambeau de bois de
ronde[1], et Paul et lui s'acheminèrent vers mon habitation.

Il pouvait être dix heures du soir. Je venais d'éteindre
ma lampe et de me coucher, lorsque j'aperçus à travers les
palissades de ma cabane une lumière dans les bois. Bientôt
après j'entendis la voix de Paul qui m'appelait. Je me lève ; et
à peine j'étais habillé que Paul, hors de lui et tout essoufflé,
me saute au cou en me disant : « Allons, allons ; Virginie
est arrivée. Allons au port, le vaisseau y mouillera au point
du jour. »

---

1. Petit bois dur et tordu.

Sur-le-champ nous nous mettons en route. Comme nous traversions les bois de la Montagne-longue, et que nous étions déjà sur le chemin qui mène des Pamplemousses au port, j'entendis quelqu'un marcher derrière nous. C'était un noir qui s'avançait à grands pas. Dès qu'il nous eut atteints je lui demandai d'où il venait, et où il allait en si grande hâte. Il me répondit : « Je viens du quartier de l'île appelé la Poudre-d'or : on m'envoie au port avertir le gouverneur qu'un vaisseau de France est mouillé sous l'île d'Ambre. Il tire du canon pour demander du secours, car la mer est bien mauvaise. » Cet homme ayant ainsi parlé continua sa route sans s'arrêter davantage.

Je dis alors à Paul : « Allons vers le quartier de la Poudre-d'or, au-devant de Virginie ; il n'y a que trois lieues d'ici[1]. » Nous nous mîmes donc en route vers le nord de l'île. Il faisait une chaleur étouffante. La lune était levée ; on voyait autour d'elle trois grands cercles noirs. Le ciel était d'une obscurité affreuse. On distinguait, à la lueur fréquente des éclairs, de longues files de nuages épais, sombres, peu élevés, qui s'entassaient vers le milieu de l'île, et venaient de la mer avec une grande vitesse, quoiqu'on ne sentît pas le moindre vent à terre. Chemin faisant nous crûmes entendre rouler le tonnerre ; mais ayant prêté l'oreille attentivement nous reconnûmes que c'étaient des coups de canon répétés par les échos. Ces coups de canon lointains, joints à l'aspect d'un ciel orageux, me firent frémir. Je ne pouvais douter qu'ils ne fussent les signaux de détresse d'un vaisseau en perdition. Une demi-heure après nous n'entendîmes plus tirer du tout ; et ce silence me parut encore plus effrayant que le bruit lugubre qui l'avait précédé.

Nous nous hâtions d'avancer sans dire un mot, et sans

---

1. Quartier du nord-est de l'île à une douzaine de kilomètres de Port-Louis.

oser nous communiquer nos inquiétudes. Vers minuit nous arrivâmes tout en nage sur le bord de la mer, au quartier de la Poudre-d'or. Les flots s'y brisaient avec un bruit épouvantable ; ils en couvraient les rochers et les grèves d'écume d'un blanc éblouissant et d'étincelles de feu. Malgré les ténèbres nous distinguâmes, à ces lueurs phosphoriques[1], les pirogues des pêcheurs qu'on avait tirées bien avant sur le sable.

À quelque distance de là nous vîmes, à l'entrée du bois, un feu autour duquel plusieurs habitants s'étaient rassemblés. Nous fûmes nous y reposer en attendant le jour. Pendant que nous étions assis auprès de ce feu, un des habitants nous raconta que dans l'après-midi il avait vu un vaisseau en pleine mer porté sur l'île par les courants ; que la nuit l'avait dérobé à sa vue ; que deux heures après le coucher du soleil il l'avait entendu tirer du canon pour appeler du secours, mais que la mer était si mauvaise qu'on n'avait pu mettre aucun bateau dehors pour aller à lui ; que bientôt après il avait cru apercevoir ses fanaux allumés, et que dans ce cas il craignait que le vaisseau, venu si près du rivage, n'eût passé entre la terre et la petite île d'Ambre, prenant celle-ci pour le coin de Mire, près duquel passent les vaisseaux qui arrivent au Port-Louis ; que si cela était, ce qu'il ne pouvait toutefois affirmer, ce vaisseau était dans le plus grand péril. Un autre habitant prit la parole, et nous dit qu'il avait traversé plusieurs fois le canal qui sépare l'île d'Ambre de la côte ; qu'il l'avait sondé, que la tenure[2] et le mouillage en étaient très bons, et que le vaisseau y était en parfaite sûreté comme dans le meilleur port : « J'y mettrais

---

1. Ces lueurs, comme le phosphore, émettent une lumière blanche dans l'obscurité.
2. Tenure est sans doute là pour « tenue », le fait de bien tenir au mouillage, c'est-à-dire avec l'ancre accrochée au fond de la mer.

toute ma fortune, ajouta-t-il, et j'y dormirais aussi tranquil-
lement qu'à terre. » Un troisième habitant dit qu'il était
impossible que ce vaisseau pût entrer dans ce canal, où à
peine les chaloupes pouvaient naviguer. Il assura qu'il l'avait
vu mouiller au-delà de l'île d'Ambre, en sorte que si le vent
venait à s'élever au matin, il serait le maître de pousser au
large, ou de gagner le port. D'autres habitants ouvrirent
d'autres opinions. Pendant qu'ils contestaient entre eux,
suivant la coutume des Créoles oisifs, Paul et moi nous gar-
dions un profond silence. Nous restâmes là jusqu'au petit
point du jour ; mais il faisait trop peu de clarté au ciel pour
qu'on pût distinguer aucun objet sur la mer, qui d'ailleurs
était couverte de brume : nous n'entrevîmes au large qu'un
nuage sombre, qu'on nous dit être l'île d'Ambre, située à
un quart de lieue de la côte. On n'apercevait dans ce jour
ténébreux que la pointe du rivage où nous étions, et quelques pitons des montagnes de l'intérieur de l'île, qui appa-
raissaient de temps en temps au milieu des nuages qui
circulaient autour.

Vers les sept heures du matin nous entendîmes dans les
bois un bruit de tambours : c'était le gouverneur, M. de la
Bourdonnais, qui arrivait à cheval, suivi d'un détachement
de soldats armés de fusils, et d'un grand nombre d'habitants et de noirs. Il plaça ses soldats sur le rivage, et leur
ordonna de faire feu de leurs armes tous à la fois. À peine
leur décharge fut faite que nous aperçûmes sur la mer une
lueur, suivie presque aussitôt d'un coup de canon. Nous
jugeâmes que le vaisseau était à peu de distance de nous, et
nous courûmes tous du côté où nous avions vu son signal.
Nous aperçûmes alors, à travers le brouillard, le corps et
les vergues d'un grand vaisseau. Nous en étions si près
que, malgré le bruit des flots, nous entendîmes le sifflet du
maître qui commandait la manœuvre, et les cris des matelots, qui crièrent trois fois Vive le Roi ! car c'est le cri des

Français dans les dangers extrêmes, ainsi que dans les grandes joies : comme si, dans les dangers, ils appelaient leur prince à leur secours, ou comme s'ils voulaient témoigner alors qu'ils sont prêts à périr pour lui.

Depuis le moment où le Saint-Géran aperçut que nous étions à portée de le secourir, il ne cessa de tirer du canon de trois minutes en trois minutes. M. de la Bourdonnais fit allumer de grands feux de distance en distance sur la grève, et envoya chez tous les habitants du voisinage chercher des vivres, des planches, des câbles, et des tonneaux vides. On en vit arriver bientôt une foule, accompagnés de leurs noirs chargés de provisions et d'agrès[1], qui venaient des habitations de la Poudre-d'or, du quartier de Flacque, et de la rivière du Rempart. Un des plus anciens de ces habitants s'approcha du gouverneur, et lui dit : « Monsieur, on a entendu toute la nuit des bruits sourds dans la montagne ; dans les bois les feuilles des arbres remuent sans qu'il fasse de vent ; les oiseaux de marine se réfugient à terre : certainement tous ces signes annoncent un ouragan. — Eh bien ! mes amis, répondit le gouverneur, nous y sommes préparés, et sûrement le vaisseau l'est aussi. »

En effet tout présageait l'arrivée prochaine d'un ouragan. Les nuages qu'on distinguait au zénith étaient à leur centre d'un noir affreux, et cuivrés sur leurs bords. L'air retentissait des cris des pailles-en-cul, des frégates, des coupeurs d'eau[2], et d'une multitude d'oiseaux de marine, qui, malgré l'obscurité de l'atmosphère, venaient de tous les points de l'horizon chercher des retraites dans l'île.

Vers les neuf heures du matin on entendit du côté de la

---

1. Équipement d'un navire (accessoires de manœuvres, d'arrimage...).
2. Le paille-en-cul est un oiseau avec deux plumes raides sur la queue. La frégate et le coupeur d'eau sont aussi des oiseaux.

mer des bruits épouvantables, comme si des torrents d'eau, mêlés à des tonnerres, eussent roulé du haut des montagnes. Tout le monde s'écria : « Voilà l'ouragan ! » et dans l'instant un tourbillon affreux de vent enleva la brume qui couvrait l'île d'Ambre et son canal. Le Saint-Géran parut alors à découvert avec son pont chargé de monde, ses vergues et ses mâts de hune amenés sur le tillac[1], son pavillon en berne[2], quatre câbles sur son avant, et un de retenue[3] sur son arrière. Il était mouillé entre l'île d'Ambre et la terre, en deçà de la ceinture de récifs qui entoure l'Île-de-France, et qu'il avait franchie par un endroit où jamais vaisseau n'avait passé avant lui. Il présentait son avant aux flots qui venaient de la pleine mer, et à chaque lame d'eau qui s'engageait dans le canal, sa proue se soulevait tout entière, de sorte qu'on en voyait la carène en l'air ; mais dans ce mouvement sa poupe, venant à plonger, disparaissait à la vue jusqu'au couronnement[4], comme si elle eût été submergée. Dans cette position où le vent et la mer le jetaient à terre, il lui était également impossible de s'en aller par où il était venu, ou, en coupant ses câbles, d'échouer sur le rivage, dont il était séparé par de hauts-fonds[5] semés de récifs. Chaque lame qui venait briser sur la côte s'avançait en mugissant jusqu'au fond des anses, et y jetait des galets à plus de cinquante pieds dans les terres ; puis, venant à se retirer, elle découvrait une grande partie du lit du rivage,

---

1. Ces termes techniques de marine désignent, pour la vergue : une pièce de bois qui traverse le mât et sert à retenir les voiles ; pour le mât de hune : les mâts qui surmontent immédiatement les bas-mâts ; pour le tillac : le pont supérieur d'un navire.

2. Hissé à mi-hauteur en signe de détresse.

3. Câble employé pour retenir l'ancre d'un navire.

4. La carène est la partie immergée de la coque d'un navire, sous la ligne de flottaison ; la poupe, l'arrière ; le couronnement, la partie d'un vaisseau située au-dessus de la poupe.

5. Là où la mer est peu profonde.

dont elle roulait les cailloux avec un bruit rauque et affreux.
La mer, soulevée par le vent, grossissait à chaque instant,
et tout le canal compris entre cette île et l'île d'Ambre
n'était qu'une vaste nappe d'écumes blanches, creusées de
vagues noires et profondes. Ces écumes s'amassaient dans
le fond des anses à plus de six pieds de hauteur, et le vent,
qui en balayait la surface, les portait par-dessus l'escarpement du rivage à plus d'une demi-lieue dans les terres.
À leurs flocons blancs et innombrables, qui étaient chassés
horizontalement jusqu'au pied des montagnes, on eût dit
d'une neige qui sortait de la mer. L'horizon offrait tous les
signes d'une longue tempête ; la mer y paraissait confondue avec le ciel. Il s'en détachait sans cesse des nuages
d'une forme horrible qui traversaient le zénith avec la vitesse
des oiseaux, tandis que d'autres y paraissaient immobiles
comme de grands rochers. On n'apercevait aucune partie
azurée du firmament ; une lueur olivâtre et blafarde éclairait seule tous les objets de la terre, de la mer, et des cieux.

Dans les balancements du vaisseau, ce qu'on craignait
arriva. Les câbles de son avant rompirent ; et, comme il
n'était plus retenu que par une seule ansière[1] il fut jeté sur
les rochers à une demi-encablure[2] du rivage. Ce ne fut
qu'un cri de douleur parmi nous. Paul allait s'élancer à la
mer, lorsque je le saisis par le bras : « Mon fils, lui dis-je,
voulez-vous périr ? — Que j'aille à son secours, s'écria-t-il,
ou que je meure ! » Comme le désespoir lui ôtait la raison, pour prévenir sa perte, Domingue et moi lui attachâ-
mes à la ceinture une longue corde dont nous saisîmes l'une
des extrémités. Paul alors s'avança vers le Saint-Géran, tantôt
nageant, tantôt marchant sur les récifs. Quelquefois il avait
l'espoir de l'aborder, car la mer, dans ses mouvements

---

1. Câble de la plus petite ancre.
2. Environ cent mètres.

irréguliers, laissait le vaisseau presque à sec, de manière qu'on en eût pu faire le tour à pied ; mais bientôt après, revenant sur ses pas avec une nouvelle furie, elle le couvrait d'énormes voûtes d'eau qui soulevaient tout l'avant de sa carène, et rejetaient bien loin sur le rivage le malheureux Paul, les jambes en sang, la poitrine meurtrie, et à demi noyé. À peine ce jeune homme avait-il repris l'usage de ses sens qu'il se relevait et retournait avec une nouvelle ardeur vers le vaisseau, que la mer cependant entrouvrait par d'horribles secousses. Tout l'équipage, désespérant alors de son salut, se précipitait en foule à la mer, sur des vergues, des planches, des cages à poules, des tables, et des tonneaux. On vit alors un objet digne d'une éternelle pitié : une jeune demoiselle parut dans la galerie de la poupe du Saint-Géran, tendant les bras vers celui qui faisait tant d'efforts pour la joindre. C'était Virginie. Elle avait reconnu son amant[1] à son intrépidité. La vue de cette aimable personne, exposée à un si terrible danger, nous remplit de douleur et de désespoir. Pour Virginie, d'un port noble et assuré, elle nous faisait signe de la main, comme nous disant un éternel adieu. Tous les matelots s'étaient jetés à la mer. Il n'en restait plus qu'un sur le pont, qui était tout nu et nerveux comme Hercule. Il s'approcha de Virginie avec respect : nous le vîmes se jeter à ses genoux, et s'efforcer même de lui ôter ses habits ; mais elle, le repoussant avec dignité, détourna de lui sa vue. On entendit aussitôt ces cris redoublés des spectateurs : « Sauvez-la, sauvez-la ; ne la quittez pas ! » Mais dans ce moment une montagne d'eau d'une effroyable grandeur s'engouffra entre l'île d'Ambre et la côte, et s'avança en rugissant vers le vaisseau, qu'elle menaçait de ses flancs noirs et de ses sommets écumants.

---

1. Celui qu'elle aimait.

À cette terrible vue le matelot s'élança seul à la mer ; et Virginie, voyant la mort inévitable, posa une main sur ses habits, l'autre sur son cœur, et levant en haut des yeux sereins, parut un ange qui prend son vol vers les cieux.

Ô jour affreux ! hélas ! tout fut englouti. La lame jeta bien avant dans les terres une partie des spectateurs qu'un mouvement d'humanité avait portés à s'avancer vers Virginie, ainsi que le matelot qui l'avait voulu sauver à la nage. Cet homme, échappé à une mort presque certaine, s'agenouilla sur le sable, en disant : « Ô mon Dieu ! vous m'avez sauvé la vie ; mais je l'aurais donnée de bon cœur pour cette digne demoiselle qui n'a jamais voulu se déshabiller comme moi. » Domingue et moi nous retirâmes des flots le malheureux Paul sans connaissance, rendant le sang par la bouche et par les oreilles. Le gouverneur le fit mettre entre les mains des chirurgiens ; et nous cherchâmes de notre côté le long du rivage si la mer n'y apporterait point le corps de Virginie : mais le vent ayant tourné subitement, comme il arrive dans les ouragans, nous eûmes le chagrin de penser que nous ne pourrions pas même rendre à cette fille infortunée les devoirs de la sépulture. Nous nous éloignâmes de ce lieu, accablés de consternation, tous l'esprit frappé d'une seule perte, dans un naufrage où un grand nombre de personnes avaient péri, la plupart doutant, d'après une fin aussi funeste d'une fille si vertueuse, qu'il existât une Providence ; car il y a des maux si terribles et si peu mérités, que l'espérance même du sage en est ébranlée.

Cependant on avait mis Paul, qui commençait à reprendre ses sens, dans une maison voisine, jusqu'à ce qu'il fût en état d'être transporté à son habitation. Pour moi, je m'en revins avec Domingue, afin de préparer la mère de Virginie et son amie à ce désastreux événement. Quand nous fûmes à l'entrée du vallon de la rivière des Lataniers, des noirs nous dirent que la mer jetait beaucoup de débris du vaisseau dans la baie vis-à-vis. Nous y descendîmes ; et un des premiers objets que j'aperçus sur le rivage fut le corps de Virginie. Elle était à moitié couverte de sable, dans l'attitude où nous l'avions vue périr. Ses traits n'étaient point sensiblement altérés. Ses yeux étaient fermés ; mais la sérénité était encore sur son front : seulement les pâles violettes de la mort se confondaient sur ses joues avec les roses de la pudeur. Une de ses mains était sur ses habits, et l'autre, qu'elle appuyait sur son cœur, était fortement fermée et roidie[1]. J'en dégageai avec peine une petite boîte : mais quelle fut ma surprise lorsque je vis que c'était le portrait de Paul, qu'elle lui avait promis de ne jamais abandonner tant qu'elle vivrait ! À cette dernière marque de la constance et de l'amour de cette fille infortunée je pleurai amèrement. Pour Domingue, il se frappait la poitrine, et perçait l'air de ses cris douloureux. Nous portâmes le corps de Virginie dans une cabane de pêcheurs, où nous le donnâmes à garder à de pauvres femmes malabares[2], qui prirent soin de le laver.

Pendant qu'elles s'occupaient de ce triste office, nous montâmes en tremblant à l'habitation. Nous y trouvâmes madame de la Tour et Marguerite en prières, en attendant des nouvelles du vaisseau. Dès que madame de la Tour m'aperçut elle s'écria : « Où est ma fille, ma chère fille, mon enfant ? » Ne pouvant douter de son malheur à mon silence et à mes larmes, elle fut saisie tout à coup d'étouffements et d'angoisses douloureuses ; sa voix ne faisait plus entendre que des soupirs et des sanglots. Pour Marguerite, elle s'écria : « Où est mon fils ? Je ne vois point mon fils » ; et elle s'évanouit. Nous courûmes à elle ; et l'ayant fait revenir, je l'assurai que Paul était vivant, et que le gouverneur

---

1. Rigide.
2. Venant de la côte de Malabar, en Inde.

en faisait prendre soin. Elle ne reprit ses sens que pour s'occuper de son amie qui tombait de temps en temps dans de longs évanouissements. Madame de la Tour passa toute la nuit dans ces cruelles souffrances ; et par leurs longues périodes j'ai jugé qu'aucune douleur n'était égale à la douleur maternelle. Quand elle recouvrait la connaissance elle tournait des regards fixes et mornes vers le ciel. En vain son amie et moi nous lui pressions les mains dans les nôtres, en vain nous l'appelions par les noms les plus tendres ; elle paraissait insensible à ces témoignages de notre ancienne affection, et il ne sortait de sa poitrine oppressée que de sourds gémissements.

Dès le matin on apporta Paul couché dans un palanquin. Il avait repris l'usage de ses sens ; mais il ne pouvait proférer une parole. Son entrevue avec sa mère et madame de la Tour, que j'avais d'abord redoutée, produisit un meilleur effet que tous les soins que j'avais pris jusqu'alors. Un rayon de consolation parut sur le visage de ces deux malheureuses mères. Elles se mirent l'une et l'autre auprès de lui, le saisirent dans leurs bras, le baisèrent ; et leurs larmes, qui avaient été suspendues jusqu'alors par l'excès de leur chagrin, commencèrent à couler. Paul y mêla bientôt les siennes. La nature s'étant ainsi soulagée dans ces trois infortunés, un long assoupissement succéda à l'état convulsif de leur douleur, et leur procura un repos léthargique semblable, à la vérité, à celui de la mort.

M. de la Bourdonnais m'envoya avertir secrètement que le corps de Virginie avait été apporté à la ville par son ordre, et que de là on allait le transférer à l'église des Pamplemousses. Je descendis aussitôt au Port-Louis, où je trouvai des habitants de tous les quartiers rassemblés pour assister à ses funérailles, comme si l'île eût perdu en elle ce qu'elle avait de plus cher. Dans le port les vaisseaux avaient leurs vergues croisées, leurs pavillons en berne, et tiraient du canon par longs intervalles. Des grenadiers[1] ouvraient la marche du convoi ; ils portaient leurs fusils baissés. Leurs tambours, couverts de longs crêpes[2], ne faisaient entendre que des sons lugubres, et on voyait l'abattement peint dans les traits de ces guerriers qui avaient tant de fois affronté la mort dans les combats sans changer de visage. Huit jeunes demoiselles des plus considérables de l'île, vêtues de blanc, et tenant des palmes à la main, portaient le corps de leur vertueuse compagne, couvert de fleurs. Un chœur de petits enfants le suivait en chantant des hymnes : après eux venait tout ce que l'île avait de plus distingué dans ses habitants et dans son état-major, à la suite duquel marchait le gouverneur, suivi de la foule du peuple.

Voilà ce que l'administration avait ordonné pour rendre quelques honneurs à la vertu de Virginie. Mais quand son corps fut arrivé au pied de cette montagne, à la vue de ces mêmes cabanes dont elle avait fait si longtemps le bonheur, et que sa mort remplissait maintenant de désespoir, toute la pompe funèbre fut dérangée : les hymnes et les chants cessèrent ; on n'entendit plus dans la plaine que des soupirs et des sanglots. On vit accourir alors des troupes de jeunes filles des habitations voisines pour faire toucher au cercueil de Virginie des mouchoirs, des chapelets[3], et des couronnes de fleurs, en l'invoquant comme une sainte. Les mères demandaient à Dieu une fille comme elle ; les garçons, des amantes aussi constantes ; les pauvres, une amie aussi tendre ; les esclaves, une maîtresse aussi bonne.

Lorsqu'elle fut arrivée au lieu de sa sépulture, des négres-

---

1. Soldats d'élite.
2. Le crêpe est un tissu noir utilisé pour marquer le deuil.
3. Objet de dévotion formé de grains enfilés que l'on fait glisser en récitant des prières.

ses de Madagascar et des Cafres de Mozambique déposè-
rent autour d'elle des paniers de fruits, et suspendirent
des pièces d'étoffes aux arbres voisins, suivant l'usage de
leur pays ; des Indiennes du Bengale et de la côte Malabare
apportèrent des cages pleines d'oiseaux, auxquels elles
donnèrent la liberté sur son corps : tant la perte d'un
objet aimable intéresse toutes les nations, et tant est grand
le pouvoir de la vertu malheureuse, puisqu'elle réunit toutes les religions autour de son tombeau.

Il fallut mettre des gardes auprès de sa fosse, et en écarter quelques filles de pauvres habitants, qui voulaient s'y
jeter à toute force, disant qu'elles n'avaient plus de consolation à espérer dans le monde, et qu'il ne leur restait qu'à
mourir avec celle qui était leur unique bienfaitrice.

On l'enterra près de l'église des Pamplemousses, sur
son côté occidental, au pied d'une touffe de bambous, où,
en venant à la messe avec sa mère et Marguerite, elle aimait
à se reposer assise à côté de celui qu'elle appelait alors
son frère.

Au retour de cette pompe funèbre M. de la Bourdonnais monta ici, suivi d'une partie de son nombreux cortège.
Il offrit à madame de la Tour et à son amie tous les secours
qui dépendaient de lui. Il s'exprima en peu de mots, mais
avec indignation, contre sa tante dénaturée ; et s'approchant de Paul, il lui dit tout ce qu'il crut propre à le consoler.
« Je désirais, lui dit-il, votre bonheur et celui de votre famille ;
Dieu m'en est témoin. Mon ami, il faut aller en France ; je
vous y ferai avoir du service. Dans votre absence j'aurai
soin de votre mère comme de la mienne », et en même
temps il lui présenta la main ; mais Paul retira la sienne, et
détourna la tête pour ne le pas voir.

Pour moi, je restai dans l'habitation de mes amies infortunées pour leur donner, ainsi qu'à Paul, tous les secours
dont j'étais capable. Au bout de trois semaines Paul fut en

état de marcher ; mais son chagrin paraissait augmenter à mesure que son corps reprenait des forces. Il était insensible à tout, ses regards étaient éteints, et il ne répondait rien à toutes les questions qu'on pouvait lui faire. Madame de la Tour, qui était mourante, lui disait souvent : « Mon fils, tant que je vous verrai, je croirai voir ma chère Virginie. » À ce nom de Virginie il tressaillait et s'éloignait d'elle, malgré les invitations de sa mère qui le rappelait auprès de son amie. Il allait seul se retirer dans le jardin, et s'asseyait au pied du cocotier de Virginie, les yeux fixés sur sa fontaine. Le chirurgien du gouverneur, qui avait pris le plus grand soin de lui et de ces dames, nous dit que pour le tirer de sa noire mélancolie il fallait lui laisser faire tout ce qu'il lui plairait, sans le contrarier en rien ; qu'il n'y avait que ce seul moyen de vaincre le silence auquel il s'obstinait.

Je résolus de suivre son conseil. Dès que Paul sentit ses forces un peu rétablies, le premier usage qu'il en fit fut de s'éloigner de l'habitation. Comme je ne le perdais pas de vue, je me mis en marche après lui, et je dis à Domingue de prendre des vivres et de nous accompagner. À mesure que ce jeune homme descendait cette montagne, sa joie et ses forces semblaient renaître. Il prit d'abord le chemin des Pamplemousses ; et quand il fut auprès de l'église, dans l'allée des bambous, il s'en fut droit au lieu où il vit de la terre fraîchement remuée ; là il s'agenouilla, et levant les yeux au ciel il fit une longue prière. Sa démarche me parut de bon augure pour le retour de sa raison, puisque cette marque de confiance envers l'Être Suprême[1] faisait voir que son âme commençait à reprendre ses fonctions naturelles. Domingue et moi nous nous mîmes à genoux à son exemple, et nous priâmes avec lui. Ensuite il se leva, et prit

1. Manière de désigner Dieu qui permet d'éviter de référer aux religions instituées.

sa route vers le nord de l'île, sans faire beaucoup d'attention à nous. Comme je savais qu'il ignorait non seulement où on avait déposé le corps de Virginie, mais même s'il avait été retiré de la mer, je lui demandai pourquoi il avait été prier Dieu au pied de ces bambous : il me répondit, « Nous y avons été si souvent ! »

Il continua sa route jusqu'à l'entrée de la forêt, où la nuit nous surprit. Là, je l'engageai, par mon exemple, à prendre quelque nourriture ; ensuite nous dormîmes sur l'herbe au pied d'un arbre. Le lendemain je crus qu'il se déterminerait à revenir sur ses pas. En effet il regarda quelque temps dans la plaine l'église des Pamplemousses avec ses longues avenues de bambous, et il fit quelques mouvements comme pour y retourner ; mais il s'enfonça brusquement dans la forêt, en dirigeant toujours sa route vers le nord. Je pénétrai son intention, et je m'efforçai en vain de l'en distraire. Nous arrivâmes sur le milieu du jour au quartier de la Poudre-d'or. Il descendit précipitamment au bord de la mer, vis-à-vis du lieu où avait péri le Saint-Géran. À la vue de l'île d'Ambre, et de son canal alors uni comme un miroir, il s'écria : « Virginie ! ô ma chère Virginie ! » et aussitôt il tomba en défaillance. Domingue et moi nous le portâmes dans l'intérieur de la forêt, où nous le fîmes revenir avec bien de la peine. Dès qu'il eut repris ses sens il voulut retourner sur les bords de la mer ; mais l'ayant supplié de ne pas renouveler sa douleur et la nôtre par de si cruels ressouvenirs, il prit une autre direction. Enfin pendant huit jours il se rendit dans tous les lieux où il s'était trouvé avec la compagne de son enfance. Il parcourut le sentier par où elle avait été demander la grâce de l'esclave de la Rivière-noire ; il revit ensuite les bords de la rivière des Trois-mamelles, où elle s'assit ne pouvant plus marcher, et la partie du bois où elle s'était égarée. Tous les lieux qui lui rappelaient les inquiétudes, les jeux, les repas, la bienfaisance de sa bien-aimée ; la rivière de la Montagne-longue, ma petite maison, la cascade voisine, le papayer qu'elle avait planté, les pelouses où elle aimait à courir, les carrefours de la forêt où elle se plaisait à chanter, firent tour à tour couler ses larmes ; et les mêmes échos, qui avaient retenti tant de fois de leurs cris de joie communs, ne répétaient plus maintenant que ces mots douloureux : « Virginie ! ô ma chère Virginie ! »

Dans cette vie sauvage et vagabonde ses yeux se cavèrent[1], son teint jaunit, et sa santé s'altéra de plus en plus. Persuadé que le sentiment de nos maux redouble par le souvenir de nos plaisirs, et que les passions s'accroissent dans la solitude, je résolus d'éloigner mon infortuné ami des lieux qui lui rappelaient le souvenir de sa perte, et de le transférer dans quelque endroit de l'île où il y eût beaucoup de dissipation. Pour cet effet je le conduisis sur les hauteurs habitées du quartier de Williams[2], où il n'avait jamais été. L'agriculture et le commerce répandaient dans cette partie de l'île beaucoup de mouvement et de variété. Il y avait des troupes de charpentiers qui équarrissaient des bois, et d'autres qui les sciaient en planches ; des voitures allaient et venaient le long de ses chemins ; de grands troupeaux de bœufs et de chevaux y paissaient dans de vastes pâturages, et la campagne y était parsemée d'habitations. L'élévation du sol y permettait en plusieurs lieux la culture de diverses espèces de végétaux de l'Europe. On y voyait çà et là des moissons de blé dans la plaine, des tapis de fraisiers dans les éclaircies des bois, et des haies de rosiers le long des routes. La fraîcheur de l'air, en donnant de la tension aux nerfs, y était même favorable à la santé des blancs. De ces hauteurs, situées vers le milieu de l'île,

1. Se creusèrent.
2. Vers le centre de l'île, dans sa partie la plus fertile.

et entourées de grands bois, on n'apercevait ni la mer, ni le Port-Louis, ni l'église des Pamplemousses, ni rien qui pût rappeler à Paul le souvenir de Virginie. Les montagnes mêmes, qui présentent différentes branches du côté du Port-Louis, n'offrent plus du côté des plaines de Williams qu'un long promontoire en ligne droite et perpendiculaire, d'où s'élèvent plusieurs longues pyramides de rochers où se rassemblent les nuages.

Ce fut donc dans ces plaines où je conduisis Paul. Je le tenais sans cesse en action, marchant avec lui au soleil et à la pluie, de jour et de nuit, l'égarant exprès dans les bois, les défrichés, les champs, afin de distraire son esprit par la fatigue de son corps, et de donner le change à ses réflexions par l'ignorance du lieu où nous étions, et du chemin que nous avions perdu. Mais l'âme d'un amant retrouve partout les traces de l'objet aimé. La nuit et le jour, le calme des solitudes et le bruit des habitations, le temps même qui emporte tant de souvenirs, rien ne peut l'en écarter. Comme l'aiguille touchée de l'aimant, elle a beau être agitée, dès qu'elle rentre dans son repos, elle se tourne vers le pôle qui l'attire. Quand je demandais à Paul, égaré au milieu des plaines de Williams : « Où irons-nous maintenant ? » il se tournait vers le nord, et me disait : « Voilà nos montagnes, retournons-y. »

Je vis bien que tous les moyens que je tentais pour le distraire étaient inutiles, et qu'il ne me restait d'autre ressource que d'attaquer sa passion en elle-même, en y employant toutes les forces de ma faible raison. Je lui répondis donc : « Oui, voilà les montagnes où demeurait votre chère Virginie, et voilà le portrait que vous lui aviez donné, et qu'en mourant elle portait sur son cœur, dont les derniers mouvements ont encore été pour vous. » Je présentai alors à Paul le petit portrait qu'il avait donné à Virginie au bord de la fontaine des cocotiers. À cette vue

une joie funeste parut dans ses regards. Il saisit avidement
ce portrait de ses faibles mains, et le porta sur sa bouche.
Alors sa poitrine s'oppressa, et dans ses yeux à demi san-
glants des larmes s'arrêtèrent sans pouvoir couler.

Je lui dis : « Mon fils, écoutez-moi, qui suis votre ami,
qui ai été celui de Virginie, et qui, au milieu de vos espérances, ai souvent tâché de fortifier votre raison contre
les accidents imprévus de la vie. Que déplorez-vous avec
tant d'amertume ? Est-ce votre malheur ? Est-ce celui de
Virginie ?

« Votre malheur ? Oui, sans doute, il est grand. Vous
avez perdu la plus aimable des filles, qui aurait été la plus
digne des femmes. Elle avait sacrifié ses intérêts aux vôtres, et
vous avait préféré à la fortune comme la seule récompense
digne de sa vertu. Mais que savez-vous si l'objet de qui
vous deviez attendre un bonheur si pur n'eût pas été pour
vous la source d'une infinité de peines ? Elle était sans bien,
et déshéritée ; vous n'aviez désormais à partager avec elle
que votre seul travail. Revenue plus délicate par son éducation, et plus courageuse par son malheur même, vous
l'auriez vue chaque jour succomber, en s'efforçant de partager vos fatigues. Quand elle vous aurait donné des enfants,
ses peines et les vôtres auraient augmenté par la difficulté
de soutenir seule avec vous de vieux parents, et une famille
naissante.

« Vous me direz : le gouverneur nous aurait aidés.
Que savez-vous si, dans une colonie qui change si souvent
d'administrateurs, vous aurez souvent des la Bourdonnais ?
S'il ne viendra pas ici des chefs sans mœurs et sans
morale ? si, pour obtenir quelque misérable secours, votre
épouse n'eût pas été obligée de leur faire sa cour ? Ou elle
eût été faible, et vous eussiez été à plaindre ; ou elle eût
été sage, et vous fussiez resté pauvre : heureux si, à cause
de sa beauté et de sa vertu, vous n'eussiez pas été per-

sécuté par ceux mêmes de qui vous espériez de la protection !

« Il me fût resté, me direz-vous, le bonheur, indépendant de la fortune, de protéger l'objet aimé qui s'attache à nous à proportion de sa faiblesse même ; de le consoler par mes propres inquiétudes ; de le réjouir de ma tristesse, et d'accroître notre amour de nos peines mutuelles. Sans doute la vertu et l'amour jouissent de ces plaisirs amers. Mais elle n'est plus, et il vous reste ce qu'après vous elle a le plus aimé, sa mère et la vôtre, que votre douleur inconsolable conduira au tombeau. Mettez votre bonheur à les aider, comme elle l'y avait mis elle-même. Mon fils, la bienfaisance est le bonheur de la vertu ; il n'y en a point de plus assuré et de plus grand sur la terre. Les projets de plaisirs, de repos, de délices, d'abondance, de gloire, ne sont point faits pour l'homme faible, voyageur et passager. Voyez comme un pas vers la fortune nous a précipités tous d'abîme en abîme. Vous vous y êtes opposé, il est vrai ; mais qui n'eût pas cru que le voyage de Virginie devait se terminer par son bonheur et par le vôtre ? Les invitations d'une parente riche et âgée, les conseils d'un sage gouverneur, les applaudissements d'une colonie, les exhortations et l'autorité d'un prêtre, ont décidé du malheur de Virginie. Ainsi nous courons à notre perte, trompés par la prudence même de ceux qui nous gouvernent. Il eût mieux valu sans doute ne pas les croire, ni se fier à la voix et aux espérances d'un monde trompeur. Mais enfin, de tant d'hommes que nous voyons si occupés dans ces plaines, de tant d'autres qui vont chercher la fortune aux Indes, ou qui, sans sortir de chez eux, jouissent en repos en Europe des travaux de ceux-ci, il n'y en a aucun qui ne soit destiné à perdre un jour ce qu'il chérit le plus, grandeurs, fortune, femme, enfants, amis. La plupart auront à joindre à leur perte le souvenir de leur propre imprudence. Pour vous, en rentrant en vous-même, vous n'avez rien à vous reprocher. Vous avez été fidèle à votre foi. Vous avez eu, à la fleur de la jeunesse, la prudence d'un sage, en ne vous écartant pas du sentiment de la nature. Vos vues seules étaient légitimes, parce qu'elles étaient pures, simples, désintéressées, et que vous aviez sur Virginie des droits sacrés qu'aucune fortune ne pouvait balancer. Vous l'avez perdue, et ce n'est ni votre imprudence, ni votre avarice, ni votre fausse sagesse, qui vous l'ont fait perdre, mais Dieu même, qui a employé les passions d'autrui pour vous ôter l'objet de votre amour ; Dieu, de qui vous tenez tout, qui voit tout ce qui vous convient, et dont la sagesse ne vous laisse aucun lieu au repentir et au désespoir qui marchent à la suite des maux dont nous avons été la cause. « Voilà ce que vous pouvez vous dire dans votre infortune : Je ne l'ai pas méritée. Est-ce donc le malheur de Virginie, sa fin, son état présent, que vous déplorez ? Elle a subi le sort réservé à la naissance, à la beauté, et aux empires mêmes. La vie de l'homme, avec tous ses projets, s'élève comme une petite tour dont la mort est le couronnement. En naissant, elle était condamnée à mourir. Heureuse d'avoir dénoué les liens de la vie avant sa mère, avant la vôtre, avant vous, c'est-à-dire de n'être pas morte plusieurs fois avant la dernière !

« La mort, mon fils, est un bien pour tous les hommes ; elle est la nuit de ce jour inquiet qu'on appelle la vie. C'est dans le sommeil de la mort que reposent pour jamais les maladies, les douleurs, les chagrins, les craintes qui agitent sans cesse les malheureux vivants. Examinez les hommes qui paraissent les plus heureux : vous verrez qu'ils ont acheté leur prétendu bonheur bien chèrement ; la considération publique, par des maux domestiques ; la fortune, par la perte de la santé ; le plaisir si rare d'être aimé, par des sacrifices continuels : et souvent, à la fin d'une vie sacrifiée aux intérêts d'autrui, ils ne voient autour d'eux que des amis faux et des parents ingrats. Mais Virginie a été heureuse jusqu'au dernier moment. Elle l'a été avec nous par les biens de la nature ; loin de nous, par ceux de la vertu : et même dans le moment terrible où nous l'avons vue périr elle était encore heureuse ; car, soit qu'elle jetât les yeux sur une colonie entière à qui elle causait une désolation universelle, ou sur vous qui couriez avec tant d'intrépidité à son secours, elle a vu combien elle nous était chère à tous Elle s'est fortifiée contre l'avenir par le souvenir de l'innocence de sa vie, et elle a reçu alors le prix que le ciel réserve à la vertu, un courage supérieur au danger. Elle a présenté à la mort un visage serein.

« Mon fils, Dieu donne à la vertu tous les événements de la vie à supporter, pour faire voir qu'elle seule peut en faire usage, et y trouver du bonheur et de la gloire. Quand il lui réserve une réputation illustre, il l'élève sur un grand théâtre, et la met aux prises avec la mort ; alors son courage sert d'exemple, et le souvenir de ses malheurs reçoit à jamais un tribut de larmes de la postérité. Voilà le monument immortel qui lui est réservé sur une terre où tout passe, et où la mémoire même de la plupart des rois est bientôt ensevelie dans un éternel oubli.

« Mais Virginie existe encore. Mon fils, voyez que tout change sur la terre, et que rien ne s'y perd. Aucun art humain ne pourrait anéantir la plus petite particule de matière, et ce qui fut raisonnable, sensible, aimant, vertueux, religieux, aurait péri, lorsque les éléments dont il était revêtu sont indestructibles ? Ah ! si Virginie a été heureuse avec nous, elle l'est maintenant bien davantage. Il y a un Dieu, mon fils : toute la nature l'annonce ; je n'ai pas besoin de vous le prouver. Il n'y a que la méchanceté des hommes qui leur fasse nier une justice qu'ils craignent. Son sentiment est dans votre cœur, ainsi que ses ouvrages sont sous vos yeux. Croyez-vous donc qu'il laisse Virginie sans récompense ? Croyez-vous que cette même puissance qui avait revêtu cette âme si noble d'une forme si belle, où vous sentiez un art divin, n'aurait pu la tirer des flots ? que celui qui a arrangé le bonheur actuel des hommes par des lois que vous ne connaissez pas ne puisse en préparer un autre à Virginie par des lois qui vous sont également inconnues ? Quand nous étions dans le néant, si nous eussions été capables de penser, aurions-nous pu nous former une idée de notre existence ? Et maintenant que nous sommes dans cette existence ténébreuse et fugitive, pouvons-nous prévoir ce qu'il y a au-delà de la mort par où nous en devons sortir ? Dieu a-t-il besoin, comme l'homme, du petit globe de notre terre pour servir de théâtre à son intelligence et à sa bonté, et n'a-t-il pu propager la vie humaine que dans les champs de la mort ? Il n'y a pas dans l'océan une seule goutte d'eau qui ne soit pleine d'êtres vivants qui ressortissent à nous, et il n'existerait rien pour nous parmi tant d'astres qui roulent sur nos têtes ? Quoi ! il n'y aurait d'intelligence suprême et de bonté divine précisément que là où nous sommes ; et dans ces globes rayonnants et innombrables, dans ces champs infinis de lumière qui les environnent, que ni les orages ni les nuits n'obscurcissent jamais, il n'y aurait qu'un espace vain et un néant éternel ? Si nous, qui ne nous sommes rien donné, osions assigner des bornes à la puissance de laquelle nous avons tout reçu, nous pourrions croire que nous sommes ici sur les limites de son empire, où la vie se débat avec la mort, et l'innocence avec la tyrannie ?

« Sans doute il est quelque part un lieu où la vertu reçoit sa récompense. Virginie maintenant est heureuse. Ah ! si du séjour des anges elle pouvait se communiquer à vous, elle vous dirait comme dans ses adieux : « Ô Paul ! la vie n'est qu'une épreuve. J'ai été trouvée fidèle aux lois de la nature, de l'amour, et de la vertu. J'ai traversé les mers pour obéir à mes parents ; j'ai renoncé aux richesses pour conserver ma foi ; et j'ai mieux aimé perdre la vie que de violer la pudeur. Le ciel a trouvé ma carrière suffisamment remplie. J'ai échappé pour toujours à la pauvreté, à la calomnie, aux tempêtes, au spectacle des douleurs d'autrui. Aucun des maux qui effrayent les hommes ne peut plus désormais m'atteindre ; et vous me plaignez ! Je suis pure et inaltérable comme une particule de lumière ; et vous me rappelez dans la nuit de la vie ! Ô Paul ! ô mon ami ! souviens-toi de ces jours de bonheur, où dès le matin nous goûtions la volupté des cieux, se levant avec le soleil sur les pitons de ces rochers, et se répandant avec ses rayons au sein de nos forêts. Nous éprouvions un ravissement dont nous ne pouvions comprendre la cause. Dans nos souhaits innocents nous désirions être tout vue, pour jouir des riches couleurs de l'aurore ; tout odorat, pour sentir les parfums de nos plantes ; tout ouïe, pour entendre les concerts de nos oiseaux ; tout cœur, pour reconnaître ces bienfaits. Maintenant à la source de la beauté d'où découle tout ce qui est agréable sur la terre, mon âme voit, goûte, entend, touche immédiatement ce qu'elle ne pouvait sentir alors que par de faibles organes. Ah ! quelle langue pourrait décrire ces rivages d'un orient éternel que j'habite pour toujours ? Tout ce qu'une puissance infinie et une bonté céleste ont pu créer pour consoler un être malheureux ; tout ce que l'amitié d'une infinité d'êtres, réjouis de la même félicité, peut mettre d'harmonie dans des transports communs, nous l'éprouvons sans mélange. Soutiens donc l'épreuve qui t'est donnée, afin d'accroître le bonheur de ta Virginie par des amours qui n'auront plus de terme, par un hymen dont les flambeaux ne pourront plus s'éteindre. Là j'apaiserai tes regrets ; là j'essuierai tes larmes. Ô mon ami ! mon jeune époux ! élève ton âme vers l'infini pour supporter des peines d'un moment. »

Ma propre émotion mit fin à mon discours. Pour Paul, me regardant fixement, il s'écria : « Elle n'est plus ! elle n'est plus ! » et une longue faiblesse succéda à ces douloureuses paroles. Ensuite, revenant à lui, il dit : « Puisque la mort est un bien, et que Virginie est heureuse, je veux aussi mourir pour me rejoindre à Virginie. » Ainsi mes motifs de consolation ne servirent qu'à nourrir son désespoir. J'étais comme un homme qui veut sauver son ami coulant à fond au milieu d'un fleuve sans vouloir nager. La douleur l'avait submergé. Hélas ! les malheurs du premier âge préparent l'homme à entrer dans la vie, et Paul n'en avait jamais éprouvé.

Je le ramenai à son habitation. J'y trouvai sa mère et madame de la Tour dans un état de langueur qui avait encore augmenté. Marguerite était la plus abattue. Les caractères vifs sur lesquels glissent les peines légères sont ceux qui résistent le moins aux grands chagrins.

Elle me dit : « Ô mon bon voisin ! il m'a semblé cette nuit voir Virginie vêtue de blanc, au milieu de bocages et de jardins délicieux. Elle m'a dit : Je jouis d'un bonheur digne d'envie. Ensuite elle s'est approchée de Paul d'un air riant, et l'a enlevé avec elle. Comme je m'efforçais de retenir mon fils, j'ai senti que je quittais moi-même la terre, et que je le suivais avec un plaisir inexprimable. Alors j'ai voulu dire adieu à mon amie ; aussitôt je l'ai vue qui nous suivait avec Marie et Domingue. Mais ce que je trouve encore de plus étrange, c'est que madame de la Tour a fait cette même nuit un songe accompagné des mêmes circonstances. »

Je lui répondis : « Mon amie, je crois que rien n'arrive dans le monde sans la permission de Dieu. Les songes annoncent quelquefois la vérité. »

Madame de la Tour me fit le récit d'un songe tout à fait semblable qu'elle avait eu cette même nuit. Je n'avais jamais remarqué dans ces deux dames aucun penchant à la superstition ; je fus donc frappé de la concordance de leur songe, et je ne doutai pas en moi-même qu'il ne vînt à se réaliser. Cette opinion, que la vérité se présente quelquefois à nous pendant le sommeil, est répandue chez tous les peuples de la terre. Les plus grands hommes de l'antiquité y ont ajouté foi, entre autres Alexandre, César, les Scipions, les deux Catons et Brutus[1], qui n'étaient pas des esprits faibles. L'Ancien et le Nouveau Testament nous fournissent quantité d'exemples de songes qui se sont réalisés. Pour moi, je n'ai besoin à cet égard que de ma propre expérience, et j'ai éprouvé plus d'une fois que les songes sont des avertissements que nous donne quelque intelligence qui s'intéresse à nous. Que si l'on veut combattre ou défendre avec des raisonnements des choses qui surpassent la lumière de la raison humaine, c'est ce qui n'est pas possible. Cependant si la raison de l'homme n'est qu'une image de celle de Dieu, puisque l'homme a bien le pouvoir de faire parvenir ses intentions jusqu'au bout du monde par des moyens secrets et cachés, pourquoi l'intelligence qui gouverne l'univers n'en emploierait-elle pas de semblables pour la même fin ? Un ami console son ami par une lettre qui traverse une multitude de royaumes, circule au milieu des haines des nations, et vient apporter de la joie et de l'espérance à un seul homme ; pourquoi le souverain protecteur de l'innocence ne peut-il venir, par quelque voie secrète, au secours d'une âme vertueuse qui ne met sa confiance qu'en lui seul ? A-t-il besoin d'employer quelque signe extérieur pour exécuter sa volonté, lui qui agit sans cesse dans tous ses ouvrages par un travail intérieur ?

Pourquoi douter des songes ? La vie, remplie de tant de projets passagers et vains, est-elle autre chose qu'un songe ?

---

1. Cette liste énumère des noms d'hommes d'État et de chefs militaires antiques.

Quoi qu'il en soit, celui de mes amies infortunées se réalisa bientôt. Paul mourut deux mois après la mort de sa chère Virginie, dont il prononçait sans cesse le nom. Marguerite vit venir sa fin huit jours après celle de son fils avec une joie qu'il n'est donné qu'à la vertu d'éprouver. Elle fit les plus tendres adieux à madame de la Tour, « dans l'espérance, lui dit-elle, d'une douce et éternelle réunion. La mort est le plus grand des biens, ajouta-t-elle ; on doit la désirer. Si la vie est une punition, on doit en souhaiter la fin ; si c'est une épreuve, on doit la demander courte. »

Le gouvernement prit soin de Domingue et de Marie, qui n'étaient plus en état de servir, et qui ne survécurent pas longtemps à leurs maîtresses. Pour le pauvre Fidèle, il était mort de langueur à peu près dans le même temps que son maître.

J'amenai chez moi madame de la Tour, qui se soutenait au milieu de si grandes pertes avec une grandeur d'âme incroyable. Elle avait consolé Paul et Marguerite jusqu'au dernier instant, comme si elle n'avait eu que leur malheur à supporter. Quand elle ne les vit plus, elle m'en parlait chaque jour comme d'amis chéris qui étaient dans le voisinage. Cependant elle ne leur survécut que d'un mois. Quant à sa tante, loin de lui reprocher ses maux, elle priait Dieu de les lui pardonner, et d'apaiser les troubles affreux d'esprit où nous apprîmes qu'elle était tombée immédiatement après qu'elle eut renvoyé Virginie avec tant d'inhumanité.

Cette parente dénaturée ne porta pas loin la punition de sa dureté. J'appris, par l'arrivée successive de plusieurs vaisseaux, qu'elle était agitée de vapeurs qui lui rendaient la vie et la mort également insupportables. Tantôt elle se reprochait la fin prématurée de sa charmante petite-nièce, et la perte de sa mère qui s'en était suivie. Tantôt elle s'applaudissait d'avoir repoussé loin d'elle deux malheureu-

ses qui, disait-elle, avaient déshonoré sa maison par la bas-
sesse de leurs inclinations. Quelquefois, se mettant en fureur
à la vue de ce grand nombre de misérables dont Paris est
rempli : « Que n'envoie-t-on, s'écriait-elle, ces fainéants
périr dans nos colonies ? » Elle ajoutait que les idées d'humanité, de vertu, de religion, adoptées par tous les peuples,
n'étaient que des inventions de la politique de leurs princes. Puis, se jetant tout à coup dans une extrémité opposée, elle s'abandonnait à des terreurs superstitieuses qui
la remplissaient de frayeurs mortelles. Elle courait porter
d'abondantes aumônes à de riches moines qui la dirigeaient, les suppliant d'apaiser la Divinité par le sacrifice de
sa fortune : comme si des biens qu'elle avait refusés aux
malheureux pouvaient plaire au père des hommes ! Souvent son imagination lui représentait des campagnes de feu,
des montagnes ardentes, où des spectres hideux erraient
en l'appelant à grands cris. Elle se jetait aux pieds de ses direc-
teurs[1], et elle imaginait contre elle-même des tortures et des
supplices ; car le ciel, le juste ciel, envoie aux âmes cruelles
des religions effroyables.

Ainsi elle passa plusieurs années, tour à tour athée et
superstitieuse, ayant également en horreur la mort et la
vie. Mais ce qui acheva la fin d'une si déplorable existence
fut le sujet même auquel elle avait sacrifié les sentiments
de la nature. Elle eut le chagrin de voir que sa fortune pas-
serait après elle à des parents qu'elle haïssait. Elle chercha
donc à en aliéner la meilleure partie ; mais ceux-ci, profi-
tant des accès de vapeurs auxquels elle était sujette, la
firent enfermer comme folle, et mettre ses biens en direction[2]. Ainsi ses richesses mêmes achevèrent sa perte ; et
comme elles avaient endurci le cœur de celle qui les pos-

---

1. Prêtres dont la fonction est de conseiller.
2. Sous tutelle.

sédait, elles dénaturèrent de même le cœur de ceux qui les désiraient. Elle mourut donc, et, ce qui est le comble du malheur, avec assez d'usage de sa raison pour connaître qu'elle était dépouillée et méprisée par les mêmes personnes dont l'opinion l'avait dirigée toute sa vie.

On a mis auprès de Virginie, au pied des mêmes roseaux, son ami Paul, et autour d'eux leurs tendres mères et leurs fidèles serviteurs. On n'a point élevé de marbres sur leurs humbles tertres, ni gravé d'inscriptions à leurs vertus ; mais leur mémoire est restée ineffaçable dans le cœur de ceux qu'ils ont obligés. Leurs ombres n'ont pas besoin de l'éclat qu'ils ont fui pendant leur vie ; mais si elles s'intéressent encore à ce qui se passe sur la terre, sans doute elles aiment à errer sous les toits de chaume qu'habite la vertu laborieuse, à consoler la pauvreté mécontente de son sort, à nourrir dans les jeunes amants une flamme durable, le goût des biens naturels, l'amour du travail, et la crainte des richesses.

La voix du peuple, qui se tait sur les monuments élevés à la gloire des rois, a donné à quelques parties de cette île des noms qui éterniseront la perte de Virginie. On voit près de l'île d'Ambre, au milieu des écueils, un lieu appelé LA PASSE DU SAINT-GÉRAN, du nom de ce vaisseau qui y périt en la ramenant d'Europe. L'extrémité de cette longue pointe de terre que vous apercevez à trois lieues d'ici, à demi couverte des flots de la mer, que le Saint-Géran ne put doubler la veille de l'ouragan pour entrer dans le port, s'appelle LE CAP MALHEUREUX ; et voici devant nous, au bout de ce vallon LA BAIE DU TOMBEAU, où Virginie fut trouvée ensevelie dans le sable ; comme si la mer eût voulu rapporter son corps à sa famille, et rendre les derniers devoirs à sa pudeur sur les mêmes rivages qu'elle avait honorés de son innocence.

Jeunes gens si tendrement unis ! mères infortunées !

chère famille ! ces bois qui vous donnaient leurs ombrages, ces fontaines qui coulaient pour vous, ces coteaux où vous reposiez ensemble, déplorent encore votre perte. Nul depuis vous n'a osé cultiver cette terre désolée, ni relever ces humbles cabanes. Vos chèvres sont devenues sauvages ; vos vergers sont détruits ; vos oiseaux sont enfuis, et on n'entend plus que les cris des éperviers qui volent en rond au haut de ce bassin de rochers. Pour moi, depuis que je ne vous vois plus, je suis comme un ami qui n'a plus d'amis, comme un père qui a perdu ses enfants, comme un voyageur qui erre sur la terre, où je suis resté seul.

En disant ces mots ce bon vieillard s'éloigna en versant des larmes, et les miennes avaient coulé plus d'une fois pendant ce funeste récit.

Du tableau

_____

au texte

Agnès Verlet

Du tableau au texte

Tempête de mer avec épaves de navires
de Joseph Vernet
(1714-1789)

... l'un des épisodes les plus dramatiques du livre, le naufrage du Saint-Géran *et la mort de Virginie...*

Dans une préface à la deuxième édition de *Paul et Virginie,* en 1789, Bernardin de Saint-Pierre remercie son ami le peintre Joseph Vernet pour l'avoir soutenu et aidé à publier son roman par souscription, en 1788, après l'accueil décevant que lui avait valu une lecture publique dans des salons de lettrés et de savants que surprenait sa vision édénique d'un bonheur en Arcadie. En reconnaissance à l'admiration qu'il portait à l'auteur des *Études sur la nature,* et sans doute pour détourner les lecteurs de la simple lecture d'une pastorale, le peintre proposa à l'écrivain, pour son roman, une planche gravée illustrant l'un des épisodes les plus dramatiques du livre, le naufrage du *Saint-Géran* et la mort de Virginie. Rendu célèbre par ses tableaux de ports et de marines, ses ciels d'orages, ses tempêtes et ses incendies, Joseph Vernet le fut plus encore grâce aux commentaires enthousiastes que, dès 1763, Diderot fit de ses œuvres dans les *Salons,* si bien que ce témoignage d'amitié, de la part d'un artiste alors en fin de carrière et de vie, contribua au succès public du roman et mit en évidence son esprit romantique.

La gravure de Vernet est de même inspiration que le grand tableau (113 x 162 cm) de 1770, intitulé *Tempête de mer avec épaves de navires*, actuellement conservé et exposé à la Pinacothèque de Munich. Dans ce paysage tourmenté, la mer n'est pas un simple décor, mais un élément se déchaînant sous l'effet d'un violent orage qui produit une métamorphose de la nature et des lieux, théâtre d'un effroyable drame humain. Sur trois plans, lointain, moyen et rapproché, on voit des navires secoués par la tempête, et les éclairs qui déchirent le ciel répandent une lumière crue sur la scène du naufrage où des hommes, échoués le long d'une côte rocheuse et inhospitalière, tentent de sauver des corps rescapés de l'épave brisée. À l'avant-plan du tableau, sur la bande rocheuse où s'est fracassée la coque de leur navire, les passagers vivent leurs derniers moments, et c'est la fulgurance des éclairs qui donne toute sa violence à cette scène dramatique, telle qu'elle apparaît au moment de l'éclair, dans le saisissement d'une photographie en instantané. Comme le fit son contemporain Hubert Robert en s'intéressant plus particulièrement aux ruines, Joseph Vernet fait vivre ses marines en introduisant des scènes de genre plus ou moins anecdotiques dans des paysages qui ne sont pas peints pour eux-mêmes mais pour l'émotion qu'ils suscitent chez le spectateur. En ce début du romantisme, le ciel d'orage et la tempête expriment la passion et ses tourments, et le spectateur, en s'identifiant aux personnages du tableau, entre en sympathie avec l'émotion qui anime l'œuvre (ce qui est le ressort du pathétique). Ainsi Diderot, qui admirait le peintre dont il posséda une des ces *Tempêtes*, s'exclama à propos de cette empathie, dans son *Salon* de 1767, en

commentant un autre tableau de même inspiration :
« L'effet de ces deux lumières, ces lieux, ces nuées, ces
ténèbres qui couvrent tout, et laissent discerner tout ;
la terreur et la vérité de cette scène auguste, tout cela
se sent fortement, et ne se décrit point. »

*... À cette mer et à ce ciel menaçants, la terre oppose une
certaine stabilité...*

Il nous faut pourtant tenter de décrire cette œuvre
et d'analyser l'effet que produit cette peinture sur nous,
sans nous contenter du procédé rhétorique que pratique magnifiquement Diderot, la prétérition, qui consiste
à feindre de ne pas dire (ou décrire) ce qu'en fait on
dit (ou décrit) : « je ne vous dirai pas... ».

La toile de Vernet est construite sur un jeu d'opposi-
tions entre les formes d'une part, l'ombre et la lumière
d'autre part. Le ciel d'orage occupe les deux tiers de la
surface, et la mer le tiers inférieur, mais ce sont les
masses rocheuses qui coupent l'horizon et structurent
le chaos où terre et mer tendent à se fondre. La bande
rocheuse horizontale de l'avant-plan et un plan de collines à l'horizon séparent horizontalement l'infini de
l'océan et du ciel, et cette horizontalité est brisée, ver-
ticalement, par les deux masses rocheuses qui surplom-
bent les vagues, à droite, et qui ferment un espace
ouvrant sur une rade ou un port. À cette mer et à ce
ciel menaçants, la terre oppose une certaine stabilité,
que conforte la présence d'un château et d'une ville,
œuvres de la main humaine : l'artiste met en scène l'anta-
gonisme de la nature et de la culture, de la mer et de
la terre, dans le déchaînement des éléments, alors
qu'il les peint souvent ailleurs, apaisés et domestiqués,

dans des œuvres figurant des ports et des marines où les constructions navales, les aménagements portuaires et urbains marquent la maîtrise de l'homme sur la nature et le progrès de la civilisation. Auteur des *Essais sur la nature* dont *Paul et Virginie* constituait un chapitre illustrant sa thèse, Bernardin de Saint-Pierre était plus rousseauiste que voltairien, plus sensualiste que rationaliste, et son roman, qui eut un succès public considérable, reçut un accueil embarrassé auprès des intellectuels et des Encyclopédistes. Dans cette Arcadie heureuse que représentait l'île, où les deux enfants sont élevés par leur mère loin des hommes, loin de la civilisation, pour vivre en harmonie avec la nature, on perçut l'influence de Rousseau et une sensibilité tôt qualifiée de romantique. Pourtant, Bernardin y évoque aussi les tourments de l'adolescence, la lutte entre le monde de l'enfance, supposé innocent, et l'éveil d'une sexualité adulte, le conflit entre la passion amoureuse et les règles familiales autant que sociales. Ce conflit entre des valeurs contradictoires fonde l'intrigue du roman, centrée sur le drame du départ et du retour de Virginie. Épisode central et non final, le naufrage et la mort de la jeune fille suscitent d'autres drames, tels les tourments et la solitude de Paul, la mélancolie et la culpabilité des mères, l'agonie et la mort de tous.

... c'est le jeu de l'ombre et de la lumière qui oriente le regard et donne au tableau son étrange atmosphère de fin du monde...

C'est à une semblable méditation sur l'ambivalence des relations entre la nature et la culture que nous invite le tableau de Vernet. Car l'âpreté du paysage naturel, battu par les flots et déchiqueté par le vent, est visible à l'avant-plan, où l'on voit le tourbillon des vagues pénétrer la masse rocheuse et la creuser, la végétation persistant encore au faîte de l'escarpement rocheux mais sur le point de s'en détacher, comme cet arbre sans feuilles, tordu et rabattu vers le bas, dont les branches deviendraient de vaines racines s'accrochant encore aux rochers. À droite, sur le plus bas de ces rochers, près du mât renversé et des écumes tourbillonnantes, le peintre a apposé sa signature, comme une épitaphe, gravée dans la pierre : *J. Vernet. 1770.* Au-dessus de cette nature malmenée par les éléments se dresse un château fortifié, de style vénitien, tel qu'on en voit sur le pourtour méditerranéen, et au sommet du promontoire rocheux, une chapelle, dominée par un phare. À gauche du promontoire, on distingue à l'horizon un bateau à demi renversé, et deux épaves, tandis qu'à flanc de colline, à peine visible tant elle est faiblement éclairée, on aperçoit une ville, avec une tour et quelques bâtisses.

Mais si la composition est structurée par des lignes et des formes, au point de constituer un paysage de mer, c'est essentiellement le jeu de l'ombre et de la lumière qui oriente le regard et donne au tableau son étrange atmosphère de fin du monde. Grand admirateur des peintres classiques, Nicolas Poussin et le Lorrain, chez qui il observa le subtil traitement de la lumière dans la peinture de paysage, Vernet apprit comme eux en Italie, et dans la ville de Rome en particulier, la façon de peindre les ciels et leur luminosité. Mais, si dans ses vues de ports et ses clairs de lune sur la mer il reste dans la tradition de la *veduta* (un genre qui se préoccupe de la perspective dans les paysages), dans ses tableaux d'orages et de tempêtes, il dramatise les effets que produit le contraste entre le clair et l'obscur, et il y ajoute une dimension sentimentale. Ici, le ciel est si lourd, les nuages si gris, les vagues si noires que la scène semble se dérouler la nuit et n'être rendue visible que par la clarté des éclairs qui zèbrent le ciel et répandent alentour une luminosité rosée. Cette lumière dorée pénètre la masse sombre des nuages dont la couleur se nuance de toute une palette de gris, de roses et d'ors, et dont les formes se diversifient, font des reliefs plus ou moins clairs, bordés de franges lumineuses, troués de taches colorées : ce ciel est en lui-même un grand morceau de peinture, à la limite de l'abstraction. La subtilité de l'exécution vient de ce que la trouée du ciel par les éclairs dispense sur la toile une certaine lumière qui répartit les masses et construit l'espace, dirigeant le regard dans le sens de la lecture, de la gauche vers la droite de la toile, jusqu'aux rochers sur lesquels s'est heurtée l'épave (et jusqu'à la signature du peintre !). Si le ciel de l'arrière-plan est illuminé par les éclairs qui font apparaître des navires et des épaves dans le lointain, et moins distinctement une ville à l'horizon, ils éclairent vivement, sur la droite, les vagues qui se précipitent sur les rochers, en écumes agitées, d'un blanc intense, presque transparent et pourtant nacré de roses, d'ocres clairs, de gris pâles. De cette « vaste nappe d'écumes blanches, creusées de vagues noires et profondes », Bernardin de Saint-Pierre sait donner, dans son roman, une description qui justifie la rivalité souvent affirmée par lui entre les pouvoirs de l'écrivain et ceux du peintre : « À leurs flocons blancs et innombrables, qui étaient chassés horizontalement jusqu'au pied des montagnes, on eût dit d'une neige qui sortait de la mer. L'horizon offrait tous les signes d'une longue tempête ; la mer y paraissait confondue avec le ciel. Il s'en détachait sans cesse des nuages d'une forme horrible qui traversaient le zénith avec la vitesse des oiseaux, tandis que d'autres y paraissaient immobiles comme de grands rochers. On n'apercevait aucune partie azurée du firmament ; une lueur olivâtre et blafarde éclairait seule tous les objets de la terre, de la mer et des cieux. »

... un marin retient une femme à la gestuelle pathétique, les bras levés, les yeux révulsés, prête à se pâmer...

Dans notre tableau, comme dans le naufrage du *Saint-Géran*, la lueur « blafarde » éclaire une scène dramatique, au premier plan, où des groupes de rescapés s'affairent sur une roche plate, au-dessus de l'épave du navire. Vernet, comme le remarquait Diderot, sait animer ses paysages de figures vivantes qu'il met en scène et à qui il prête des émotions. On voit sur la gauche un matelot agenouillé, tentant de remonter un corps ou un objet à la surface, tandis que deux autres se servent de cordages pour la même opération. Le long d'un mât couché, à la voile enroulée, un marin retient une femme à la gestuelle pathétique, les bras levés, les yeux révulsés, prête à se pâmer ; à califourchon sur le mât principal, deux matelots hissent un vieillard nu, agrippé à une corde ; un autre porte un enfant sur son épaule, pendant que trois hommes déposent délicatement le corps évanoui d'une jeune fille aux seins découverts qui pourrait être Virginie, refusant de se déshabiller pour suivre le marin qui veut la sauver en plongeant avec elle dans les eaux ; le vieil homme nu qui est en haut du promontoire, près d'un mât brisé et proche d'une énorme vague qui risque de déferler sur tout le groupe, semble horrifié, hurlant à la mort. À l'extrême droite, au-delà du marin qui tire une corde, l'homme en bleu qui porte un paquetage sur l'épaule et un coffre sous le bras est peut-être le mauvais sujet qui veut sauver sa peau en emportant les trésors du navire. On le voit, ces groupes humains ont des attitudes et des gestuelles variées qui suscitent l'émotion et permettent au spectateur de recréer la scène en s'identifiant à chacun, comme aimait à le faire Diderot quand il décrivait les tableaux de Greuze, Robert ou Vernet, en donnant vie à des personnages dont il théâtralisait les propos supposés : « Quelle immense variété de scènes et de figures ! quelles eaux ! quels ciels ! quelle vérité ! quelle magie ! quel effet ! »

… Tous ces mouvements contraires animent l'œuvre d'un tourbillonnement incessant et angoissant…

La présence de ces figures à l'avant-plan a aussi pour fonction de donner délicatement, par petites touches, de la couleur à cette œuvre sombre, à dominante de noirs et de blancs : le bleu des vêtements des marins, le rouge des bonnets et celui de la robe de la femme, au centre, la carnation presque cadavérique des corps nus constituent des taches de couleur qui animent la toile et dispersent le regard. Car si la lumière qui provient de la droite et va vers la gauche oriente le spectateur dans une direction, son regard est sans cesse dérouté par des mouvements contradictoires et désordonnés qui imposent une lecture erratique et traduisent le chaos de la situation. On peut remarquer ainsi les directions contraires que prennent les deux bateaux qui, sur deux plans différents, voguent au gré des vents ; ou les vols des oiseaux, à droite et à gauche, noirs sur le ciel clair, blancs sur le ciel sombre ; ou encore les deux mâts de l'épave, brisés et projetés dans deux endroits opposés, et surtout l'avancée des nuages et la butée des vagues sur la falaise à laquelle s'oppose le reflux des écumes qui frappent le rocher et déferlent vers la mer. Tous ces mouvements contraires animent l'œuvre d'un tourbillonnement incessant et angoissant face auquel les petites figures de rescapés qui s'activent autour de l'épave, en formant des groupes isolés, semblent saisies d'une agitation un peu vaine, comme celle qui s'empare de Paul au moment du naufrage qu'il observe de loin, impuissant. De ces êtres abandonnés seuls à leur destin, luttant désespérément contre des forces hostiles, les peintres des générations suivantes se souviendront : Théodore Géricault avec *Le Radeau de la Méduse* (1819), Eugène Delacroix, avec *La Barque de Dom Juan* (1841), sans parler des *Funérailles d'Atala* (1808), œuvre dans laquelle Girodet retrouve la composition et la gestuelle du groupe qui porte la jeune fille dénudée, celle que ne fut pas Virginie se jetant tout habillée dans l'abîme.

Entre le peintre et l'écrivain, on ne sait plus qui est précurseur. Certes, Joseph Vernet eut une grande influence sur la peinture et la littérature romantiques, mais Bernardin de Saint-Pierre également qui, comme Diderot, admira le peintre des marines et, après lui, Chateaubriand, Honoré de Balzac, Gérard de Nerval, Jules Verne qui trouvèrent dans cette peinture contrastée un équivalent aux ambivalences du cœur, et tous les écrivains romantiques qui virent une correspondance entre les émotions et les lieux, et dans les paysages grandioses un écho aux grandes passions. Mais chez Bernardin de Saint-Pierre comme chez Joseph Vernet, le calme peut précéder ou suivre la tempête, et la nature redevenir bienfaisante ou faire rêver d'un îlot édénique, d'une Arcadie heureuse. Et c'est encore Diderot qui l'écrit, lui qui pourtant, si souvent, exalte la passion et l'enthousiasme : « C'est Vernet qui sait rassembler les orages, ouvrir les cataractes du ciel et inonder la terre ; c'est lui qui sait aussi, quand il lui plaît, dissiper la tempête et rendre le calme à la mer, la sérénité aux cieux. Alors toute la nature, sortant comme du chaos, s'éclaire d'une manière enchanteresse et reprend tous ses charmes. »

Le texte

en perspective

Mathilde Bombart

Mouvement littéraire

Les Lumières

PAUL ET VIRGINIE PARAÎT À UNE ÉPOQUE que l'on désigne sous le nom de Lumières. Comme ce terme l'indique métaphoriquement (dès le XVIIIe siècle même), ce moment est caractérisé par une quête de connaissances nouvelles et la volonté de sortir d'un âge d'obscurantisme et d'erreurs. On fait en général commencer les Lumières à la fin du règne de Louis XIV, en 1715, et on les fait aller jusqu'en 1789, date de la Révolution française. Les Lumières sont-elles la cause de cet événement qui met fin au type de société et d'organisation politique que l'on désigne sous le nom d'Ancien Régime ? Un lien unique de cause à effet entre le mouvement littéraire et philosophique et la Révolution ne peut en fait être établi et de nombreux facteurs, politiques, économiques et sociaux, contribuent aussi au changement.

1.

Contexte politique et social :
la monarchie absolue et la société
de privilèges

L a fin du règne de Louis XIV marque l'apogée de l'absolutisme, système politique où le gouvernement est assuré par des rois héréditaires supposés tenir leur pouvoir de Dieu dont ils seraient le représentant sur terre. L'autorité est concentrée dans les mains d'un seul, même si le roi s'entoure de ministres. Vers la fin du XVIIe siècle, Louis XIV fait, de plus, des choix politiques qui l'exposent aux critiques : engagement de la France dans des guerres qui grèvent les finances et menacent les populations (celle de la ligue d'Augsbourg, puis celle de la succession d'Espagne), révocation de l'édit de Nantes, qui met fin à la cohabitation pacifique entre catholiques et protestants et ranime les persécutions contre ces derniers. Enfin, ces mêmes années, en Angleterre, la monarchie de droit divin laisse place à une monarchie constitutionnelle et le roi Jacques II est chassé du royaume.

Les successeurs du Roi-Soleil, le régent Philippe d'Orléans, neveu de Louis XIV, qui gouverne tant que dure la minorité de Louis XV, celui-ci, puis son fils Louis XVI, ne peuvent endiguer le déclin de l'institution monarchique. La cour s'isole à Versailles, offrant le spectacle d'un régime plus préoccupé à satisfaire les frasques des puissants qu'à prendre en main les problèmes sociaux et économiques des populations. Louis XV fait scandale par ses nombreuses maîtresses et le rôle qu'il leur laisse jouer, comme à la fameuse marquise de

Pompadour, dans les décisions politiques ; Louis XVI, qui a vingt ans lors de son arrivée au pouvoir, en 1774, se montre inexpérimenté et irrésolu. Les problèmes qui se cumulent, avec le manque d'argent causé par la reprise de la guerre à partir du milieu du siècle et une forte hausse des prix du grain à la suite de plusieurs années de mauvaises récoltes, mènent à une crise dont la conséquence est la convocation des États généraux de 1789.

De plus, le régime de la monarchie absolue est lié à un système juridique et social inégalitaire fondé sur le privilège. Répartie en trois ordres hérités de la division féodale entre ceux qui prient (le clergé), ceux qui combattent (la noblesse) et ceux qui travaillent (le tiers état), ces populations n'ont pas les mêmes droits. La noblesse, condition héréditaire, ouvre à de nombreuses exemptions d'impôts, à un accès réservé pour certains emplois (dans l'armée, dans la haute administration du royaume, dans l'Église) et à une justice à part. Les membres du clergé catholiques bénéficient eux aussi d'exceptions et de protection juridiques et fiscales, et l'Église possède une richesse importante en terres et en biens immobiliers. Le tiers état est, quant à lui, formé en majorité des paysans (80 % de la population), mais aussi d'artisans, d'employés et d'une couche enrichie de marchands, négociants et financiers composant la bourgeoisie. Passages et alliances économiques et sociales entre les ordres étaient bien sûr fréquents, mais cette organisation sociale consubstantiellement inégalitaire paraît de plus en plus injustifiée et injuste, d'autant plus que les richesses sont concentrées chez un petit nombre et qu'une grosse partie de la population, à la ville comme à la campagne, connaît des conditions de vie très dures.

2.

Les combats des Lumières

Outre la satire d'un régime sclérosé et inefficace, qui traverse de nombreuses œuvres littéraires et philosophiques de l'époque (voir les *Lettres persanes* de Montesquieu en 1721 ou *L'Ingénu* de Voltaire en 1767), la réflexion juridique et politique oppose au régime des formes contractuelles de gouvernement qui donnent au peuple la possibilité d'intervenir dans la vie publique (Jean-Jacques Rousseau, *Du contrat social*, 1762) ou des systèmes dotés de contre-pouvoirs (Montesquieu, *De l'esprit des lois*, 1748). Contre les privilèges et l'inégalité des conditions, les philosophes défendent l'idée d'une nature humaine commune à tous — un point de vue qui est aussi au cœur de *Paul et Virginie*.

Les injustices paraissent d'autant plus scandaleuses que le XVIIIᵉ siècle est globalement une période de développement économique et démographique : 1710 voit la dernière grande famine dévastatrice et l'amélioration des techniques de culture procure au monde paysan une stabilité de revenus. La population croît et d'importants centres économiques et culturels urbains se développent. Les transports s'organisent, facilitant les échanges commerciaux, et une économie proto-industrielle de production en atelier de textiles et de biens manufacturés se structure. Ce mouvement de croissance est soutenu par de multiples progrès scientifiques : la médecine expérimente les premières inoculations ; la chimie connaît sa nomenclature moderne, mise au point par Antoine Lavoisier ; Buffon développe de nouvelles théories sur les règnes minéraux, végétaux et animaux (*Histoire naturelle*, à partir de 1744).

Dans ce contexte d'effervescence intellectuelle, la question de la place de la religion se fait de plus en plus polémique, alors même que la France ne connaît que le catholicisme pour seule religion officielle. Le triomphe de l'esprit scientifique qui, dans la ligne du *Discours de la méthode* de René Descartes (1637), repose sur un traitement méthodique et rationnel de phénomènes observés, entraîne une remise en question des croyances toutes faites, traitées comme des superstitions ou des préjugés. La connaissance de la terre se précise, avec la découverte de fossiles, par René Réaumur, qui achèvent de discréditer la version biblique de l'origine du monde. Pour les sciences humaines, Voltaire et son *Essai sur les mœurs* (1756) remettent en question la vision de l'histoire comme action de la volonté divine (la Providence) qui est celle de l'Église, au profit de la mise en évidence dans le développement des sociétés de facteurs aussi concrets que la géographie ou le climat.

On voit là ce qui peut séparer Bernardin des philosophes : l'exploration des phénomènes naturels à laquelle il consacre ses *Études de la nature* (1788), et qui nourrit *Paul et Virginie*, repose plus sur une contemplation émerveillée de l'univers comme création harmonieuse de Dieu que sur une véritable démarche d'observation et d'analyse scientifique. En revanche, on peut retrouver dans le roman la distance à l'égard des religions instituées qui caractérise les philosophes des Lumières. Si certains se montrent plus ou moins ouvertement athées (une profession publique d'athéisme fait courir un risque de mort dans cette société où la liberté de conscience et d'expression n'est en rien reconnue), d'autres défendent le déisme, soit la croyance en l'existence d'un principe spirituel transcendant à la nature et au rôle imprécis. Mais tous se montrent très méfiants à l'égard des institutions religieuses, du clergé, des dogmes et des cérémonies. La lutte pour imposer ce qui serait la seule et bonne manière de pratiquer le culte est vue comme une des principales causes de violences et de désordres dans les sociétés humaines (voir par exemple le *Traité sur la tolérance* de Voltaire en 1763). L'observation des différentes sociétés humaines montre, de plus, une infinie variété des manières d'honorer les dieux ; se battre pour imposer la sienne est une entreprise absurde et injuste. L'atmosphère religieuse de *Paul et Virginie* partage ces caractéristiques : les personnages des mères vont à la messe et pratiquent la Bible, mais davantage pour y chercher des exemples de bons comportements que pour réfléchir sur le dogme. Leur Dieu, dont elles voient la présence partout autour d'elles, semble parfois s'assimiler à la nature même et leurs cérémonies, sans prêtres, sont plus portées par des élans du cœur que par le respect des codes chrétiens.

3.

Voyages, exploration et exploitation du monde : le colonialisme et l'esclavage en débat

L'expansion des connaissances se fait aussi au XVIIIe siècle par la découverte du monde et par les voyages où s'unissent la volonté d'exploration scientifique et celle de domination colonisatrice. De grands voyageurs se lancent à la conquête du globe, comme l'Anglais James Cook, le Français Bougainville (dont l'expédition autour du monde, entre 1766 et 1769, est financée par Louis XV) ou La Pérouse. Les récits de voyages alors publiés alimentent la curiosité d'un large public pour ces nouveaux horizons et c'est dans cette vogue que s'inscrit l'écriture de *Paul et Virginie*. La confrontation à ces ailleurs n'est pas non plus sans vertu critique : tantôt le point de vue européen sur la politique, les mœurs ou la religion se voient soumis à un fort relativisme qui en montre l'absurdité ou l'étroitesse vis-à-vis d'autres nations et coutumes. Tantôt, comme dans *Paul et Virginie*, ces mondes lointains nourrissent la rêverie d'un espace clos, préservé de la civilisation, de ses vices et de ses principes absurdes.

Pourtant, ce mouvement d'exploration n'est pas sans ambivalence, car il est guidé aussi par une volonté de prise de pouvoir et d'affirmation de l'emprise des différentes nations européennes sur le monde. Bougainville est, par exemple, chargé par le roi de France de faire entrer les territoires qu'il visite dans l'influence de l'empire colonial français qui se construit alors, notamment dans le Pacifique. La légitimité de l'entreprise est contestée, dès cette époque même : pensons au *Supplément au voyage de Bougainville* (1796), où Diderot se livre à une violente critique de l'entreprise colonisatrice de la France et assimile la résistance de certains des habitants de Tahiti, qu'il met en scène, à un combat pour le droit naturel des peuples à être maîtres de leur destin.

Les relations avec ces ailleurs lointains sont aussi marquées par l'esclavage et par l'économie de la traite des Noirs et du commerce triangulaire : les pays européens transportent des esclaves vers les Amériques, ou les autres contrées qu'ils entreprennent de coloniser, comme l'île Maurice de *Paul et Virginie*, pour assurer la culture de produits exotiques, comme le sucre de canne ou le café, importés ensuite en Europe à destination d'un commerce du luxe qui s'adresse aux élites. L'esclavage obéit, dans les colonies françaises, à un code remontant à Louis XIV (1685) : *Édit du roi touchant la police des îles de l'Amérique française* (dit *Code noir*). Mais, outre qu'il est sévère et inégalement appliqué (Bernardin se plaint dans son récit de *Voyage à l'île de France,* à l'île Bourbon et au cap de Bonne-Espérance, qu'il ne soit pas respecté dans les lieux qu'il traverse alors), c'est surtout le principe même de l'esclavage que remettent en question un certain nombre de philosophes, comme Montesquieu (*De l'esprit des lois,* 1748, livre III, chapitre XV), Condorcet (*Réflexions sur l'esclavage des nègres,* 1781), ou encore Jaucourt, auteur de l'article « Traite des nègres » de l'*Encyclopédie* publiée à partir de 1751 par Diderot et d'Alembert. L'abolition est votée en 1794 avec la Révolution. Mais elle n'est pas vraiment appliquée et c'est seulement en 1848 que l'esclavage est définitivement aboli en France.

Pour aller plus loin

Dictionnaire européen des Lumières, dirigé par Michel Delon, Paris, P.U.F., 1997.

Alexandre DUQUAIRE, *Les Lumières,* Paris, « La bibliothèque Gallimard », 2006.

Emmanuel KANT, *Qu'est-ce que les Lumières ?,* Paris, Nathan, « Les intégrales », 2000.

Encyclopédie (extraits), Gallimard, « Folioplus classiques », 2008.

Un site internet :

Le site de l'exposition « Lumières ! » par la Bibliothèque nationale de France :

http://expositions.bnf.fr/lumieres/index.htm

Au cinéma :

Ridicule de Patrice LECONTE, 1996.

Les Caprices d'un fleuve de Bernard GIRAUDEAU, 1996.

Genre et registre

Roman et exotisme

1.

Le point de vue de l'ailleurs : du voyage désenchanté à la reconstruction idéalisée

Les fictions empruntant leur décor et leurs personnages à un ailleurs éloigné et exotique abondent
au XVIIIe siècle. Nourries par les récits d'exploration réalisées alors, vers les îles de l'océan Indien notamment
(*Voyages et Aventures de François Leguat […] en deux îles déser-
tes des Indes orientales*, 1707, *Voyage autour du monde* de Bougainville, 1771), ainsi que par de grandes compilations
encyclopédiques (*Histoire des deux Indes* de l'abbé de Ray-
nal, *Histoire générale des voyages* de l'abbé Prévost, publiés
entre 1747 et 1802), elles servent surtout la satire et la critique de la société occidentale comme dans les *Dialogues
de M. le Baron de Lahontan et d'un Sauvage dans l'Amérique* (1703), du même Lahontan, ou avec Diderot dans
le *Supplément au voyage de Bougainville*, publié en 1796
pour, en fait, plus critiquer la version de Bougainville
qu'y ajouter quoi que ce soit. À partir de la célébration
des mœurs exotiques ou de l'effet d'« estrangement »,

pour reprendre un terme de Michel de Montaigne, que produit un regard décentré que les voyages permettent sur les sociétés européennes, il s'agit de mettre en question les mœurs, valeurs ou modes de gouvernement de celles-ci, jugés à l'aune d'un supposé Éden exotique ou soumis à un point de vue relativiste.

La grande originalité de *Paul et Virginie* en la matière tient en ce que son auteur a, lui, réellement voyagé et puise son inspiration de son propre périple à l'île Maurice et à l'île Bourbon entre 1768 et 1770 dont il a publié le récit deux ans après son retour avec le *Voyage à l'île de France*. Ce récit comporte un aspect autobiographique, mais aussi une forte dimension encyclopédique et descriptive des mœurs et des éléments naturels (flore, faune, géographie) caractéristiques des îles visitées. *Paul et Virginie* se nourrit de ces observations, qui rendent possible la précision géographique et toponymique du récit (à vérifier, par exemple, sur une des cartes de l'île imprimée pour illustrer une édition parue en 1838 du roman). Les descriptions détaillées de la nature mauricienne font une des qualités du roman, à la différence de la plupart des autres fictions « exotiques » de la même époque où le cadre et les données relatives au lieu relèvent de la convention et du cliché plus que de l'expérience réelle.

Pourtant, le contraste entre le récit de voyage proprement dit et le roman est saisissant. Bernardin est, en effet, frappé par la violence, la rudesse et les dysfonctionnements, aussi bien politiques que moraux, qui marquent la société coloniale (rappelons que son voyage se situe au début de l'époque royale, puisque l'ensemble que l'on nomme les îles Mascareignes est repassé sous le contrôle du roi après la faillite de la Compagnie des Indes en 1764). Il dépeint une société corrompue et rongée par l'ennui, assemblage disparate et conflictuel de riches marchands, de cultivateurs créoles (les habitants d'ascendance européenne) cruels envers leurs esclaves et d'immigrés récents qui sont souvent des malfrats contraints de quitter la France pour fuir leur châtiment (*Voyage à l'île de France*, « Lettre XI. Mœurs des habitants blancs ») :

> La discorde règne dans toutes les classes, et a banni de cette île l'amour de la société qui semble devoir régner parmi les Français exilés au milieu des mers, aux extrémités du monde. Tous sont mécontents, tous voudraient faire fortune et s'en aller bien vite. À les entendre chacun s'en va l'année prochaine. Il y en a qui depuis trente ans tiennent ce langage. […]
> On y est d'une insensibilité extrême pour tout ce qui fait le bonheur des âmes honnêtes. Nul goût pour les lettres et les arts. […]
> Cette indifférence s'étend à tout ce qui les environne. Les rues et les cours ne sont ni pavées ni plantées d'arbres ; les maisons sont des pavillons de bois que l'on peut aisément transporter sur des rouleaux ; il n'y a aux fenêtres ni vitres ni rideaux : à peine y trouve-t-on quelques mauvais meubles.
> Les gens oisifs se rassemblent sur la place à midi et au soir ; là on agiote [spécule] : on médit, on calomnie.

La clé de voûte de l'économie coloniale est l'esclavage, un système dont Bernardin dénonce la cruauté et l'absurdité (« Lettre XII. Des Noirs ») :

> Au point du jour, trois coups de fouet sont le signal qui les appelle à l'ouvrage. Chacun se rend avec sa pioche dans les plantations où ils travaillent presque nus, à l'ardeur du soleil. On leur donne pour nourriture du maïs broyé cuit à l'eau, ou des pains de manioc ; pour habit, un morceau de toile. À la moindre négligence, on les attache par les pieds et par les mains,

> sur une échelle ; le commandeur, armé d'un fouet de
> poste, leur donne sur leur derrière nu cinquante, cent,
> et jusqu'à deux cents coups. Chaque coup enlève une
> portion de la peau. Ensuite on détache le misérable
> tout sanglant ; on lui met au cou un collier de fer à
> trois pointes, et on le ramène au travail.

Si les mouvements pour abolir l'esclavage se développent alors en Europe (avec, par exemple, la fondation de la Société des amis des Noirs en 1788), Bernardin n'est pas exempt de racisme et a lui-même possédé des esclaves lors de son séjour dans l'océan Indien. Il n'est pas non plus anticolonialiste. Mais il défend une organisation de l'exploitation agricole qui ne reposerait pas sur l'esclavage, un système qu'il juge comme beaucoup de ses contemporains à partir d'un point de vue plus pragmatique qu'éthique en soulignant son irrationalité économique (« Lettre XII. Des Noirs ») :

> Je ne sais si le café et le sucre sont nécessaires au
> bien-être de l'Europe, mais je sais bien que ces deux
> végétaux ont fait le malheur de deux parties du
> monde. On a dépeuplé l'Amérique afin d'avoir une
> terre pour les planter : on dépeuple l'Afrique afin
> d'avoir une nation pour les cultiver. [...] Un habitant
> serait à son aise avec vingt fermiers [cultivateur qui
> fait valoir une exploitation agricole moyennant une
> redevance à son propriétaire], il est pauvre avec vingt-
> cinq esclaves. On en compte ici vingt mille qu'on est
> obligé de renouveler tous les ans d'un dix-huitième.
> Ainsi la colonie abandonnée à elle-même se détruirait
> au bout de dix-huit ans ; tant il est vrai qu'il n'y a
> point de population sans liberté et propriété, et que
> l'injustice est une mauvaise ménagère. [...]
> Je suis fâché que des philosophes qui combattent les
> abus avec tant de courage n'aient guère parlé de
> l'esclavage des Noirs que pour en plaisanter. Ils se
> détournent au loin ; ils parlent de la Saint-Barthé-

lemy, du massacre des Mexicains par les Espagnols, comme si ce crime n'était pas celui de nos jours, et auquel la moitié de l'Europe prend part. Y a-t-il plus de mal à tuer d'un coup des gens qui n'ont pas nos opinions, qu'à faire le tourment d'une nation à qui nous devons nos délices ? Ces belles couleurs de rose et de feu dont s'habillent nos dames ; le coton dont elles ouatent leurs jupes ; le sucre, le café, le chocolat de leurs déjeuners, le rouge dont elles relèvent leur blancheur : la main des malheureux Noirs a préparé tout cela pour elles. Femmes sensibles, vous pleurez aux tragédies, et ce qui sert à vos plaisirs est mouillé de pleurs et teint du sang des hommes.

Le récit de voyage se conclut sur une amère critique de l'expérience du voyageur : « Heureux qui revoit les lieux où tout fut aimé, où tout parut aimable, et la prairie où il courut et le verger qu'il ravagea ! Plus heureux qui ne vous a jamais quitté, toit paternel, asile saint ! » Mais bien des années séparent ce séjour de la publication de *Paul et Virginie* (peut-être dix ans si l'on se fie aux premières traces du texte) et sans doute son écriture a-t-elle été rendue possible par la « double distance de l'espace et du temps » (Jean-Michel Racault) qui sépare le roman de l'expérience du voyageur et permet le réinvestissement nostalgique et lyrique de l'île.

2.

Une bergerie sous les tropiques

Bernardin se réfère à plusieurs reprises au terme de « pastorale » pour désigner son récit, revendiquant même dans l'« Avant-propos » de 1788 une revivification du genre par son déplacement dans un cadre exotique :

> Nos poètes ont assez reposé leurs amants sur le bord
> des ruisseaux, dans les prairies et sous le feuillage des
> hêtres. J'en ai voulu asseoir sur le rivage de la mer, au
> pied des rochers, à l'ombre des cocotiers, des bana-
> niers et des citronniers en fleurs. Il ne manque à
> l'autre partie du monde que des Théocrite et des Vir-
> gile pour que nous en ayons des tableaux au moins
> aussi intéressants que ceux de notre pays.

En mentionnant les modèles antiques de Théocrite
(poète grec auteur des *Idylles*) et de Virgile (auteur latin
des *Bucoliques*, une vision de l'existence à travers des dialogues entre bergers, et des *Géorgiques*, description de la
vie aux champs), Bernardin s'inscrit explicitement dans
la longue tradition de l'écriture pastorale dont la caractéristique est de représenter la vie de personnages de bergers sous un mode idéalisé et en faisant la part belle au
récit de leurs amours. Très pratiquée depuis l'huma-
nisme (avec le poème *L'Arcadia* de Sannazaro en 1504
ou la pièce *L'Aminta* du Tasse jouée en 1573) et tout au
long du XVIIᵉ siècle (avec en particulier le roman de réfé-
rence en la matière, *L'Astrée*, d'Honoré d'Urfé, publié
à partir de 1607), la pastorale connaît une seconde jeunesse au XVIIIᵉ siècle avec les églogues d'André Chénier,
les œuvres de Jean-Pierre Claris de Florian ou de Nicolas-
Germain Léonard qui avait, lui aussi, tenté un déplacement exotique de la pastorale dans son *Voyage aux
Antilles*. Mais la dimension lyrique et sentimentale du
genre peut se marier aussi avec une réflexion sur la place
de l'homme dans la nature et une critique des travers de
la civilisation. C'est le cas avec l'œuvre de Bernardin où
la veine pastorale s'articule à une réflexion, qu'il partage avec l'ensemble du mouvement des Lumières, sur
la nature comme aune de la justice, de la morale et du
bonheur (« Avant-propos » de l'édition de 1788) :

> J'ai désiré réunir à la beauté de la nature entre les
> tropiques la beauté morale d'une petite société. Je me
> suis proposé aussi d'y mettre en évidence plusieurs
> grandes vérités, entre autres celle-ci : que notre bon-
> heur consiste à vivre suivant la nature et la vertu.

Le cadre exotique insulaire permet de mettre en scène
une nature édénique d'où le mal est absent (du moins,
peut-on le croire au début du roman) et de retrouver,
avec la petite société idéale que recomposent les deux
amies, les origines perdues d'une humanité gâtée par
la civilisation. Ce sont les pas de Rousseau que suit ici
Bernardin, dans la forte critique des sociétés européennes qui traverse le roman. Comme le philosophe du
*Discours sur l'origine et les fondements de l'inégalité parmi les
hommes* (1755), Bernardin cherche à retrouver une
humanité d'avant la corruption morale, économique
et politique qui caractériserait le monde contemporain : une société plus égalitaire (malgré le fait que les
deux amies emploient bien des esclaves), plus douce,
où les individus, guidés par la loi naturelle, seraient
solidaires, respectueux et aimant les uns des autres.

La petite société autour de *Paul et Virginie* apparaît
bien en cela comme une expérience tentée par le biais
de la fiction pour démontrer les bienfaits d'une vie
rurale et retirée. Beaucoup d'auteurs partagent alors ces
idées (voir les *Contes moraux* de Marmontel ou l'*Épître
sur l'agriculture* de Voltaire), et l'on peut penser encore
à Rousseau qui faisait dire à l'une des voix de l'« Entretien sur les romans », la seconde préface de *Julie ou la
Nouvelle Héloïse* (1761) :

> Il est clair, selon votre raisonnement, que pour donner
> aux ouvrages d'imagination la seule utilité qu'ils puis-
> sent avoir, il faudrait les diriger vers un but opposé à
> celui que leurs auteurs se proposent ; éloigner toutes

les choses d'institution ; ramener tout à la nature ; donner aux hommes l'amour d'une vie égale et simple ; les guérir des fantaisies de l'opinion, leur rendre le goût des vrais plaisirs ; leur faire aimer la solitude et la paix ; les tenir à quelque distance les uns des autres ; et, au lieu de les exciter à s'entasser dans les villes, les porter à s'étendre également sur le territoire pour le vivifier de toutes parts. Je comprends encore qu'il ne s'agit pas de faire des Daphnis, des Sylvandres, des pasteurs d'Arcadie, des bergers du Lignon, d'illustres paysans cultivant leurs champs de leurs propres mains et philosophant sur la nature, ni d'autres pareils êtres romanesques, qui ne peuvent exister que dans les livres ; mais de montrer aux gens aisés que la vie rustique et l'agriculture ont des plaisirs qu'ils ne savent pas connaître ; que ces plaisirs sont moins insipides, moins grossiers qu'ils ne pensent ; qu'il y peut régner du goût, du choix, de la délicatesse ; qu'un homme de mérite qui voudrait se retirer à la campagne avec sa famille, et devenir lui-même son propre fermier, y pourrait couler une vie aussi douce qu'au milieu des amusements des villes.

Chez Bernardin, cette vision se double de celle d'un univers organisé par un ordre providentiel harmonieux qui destine les fruits de la nature aux hommes sachant les saisir. Le roman présente le modèle d'une société agricole autosuffisante et frugale, mais l'île exotique, en même temps que refuge protecteur, est aussi l'incarnation de l'abondance, d'un âge d'or où l'homme saurait encore profiter des bienfaits de la nature, comme le montre le périple du retour de Paul et Virginie de leur visite à la plantation. Le contraste avec les observations du *Voyage à l'île de France* est immense : la peinture de la nature dans *Paul et Virginie* alimente un fantasme de pureté et d'abondance qui plaît au public européen, pour lequel il fixe tout un imaginaire exotique pittoresque fonctionnant de connivence avec l'idéologie impérialiste colonisatrice.

Pourtant, la morale que nous propose le roman n'est en fait pas si simple. La nature pittoresque et douce de l'île est aussi dotée d'une puissance incontrôlable et violente qui se manifeste notamment dans la tempête emportant le *Saint-Géran*. Comme les peintres Hubert Robert, Joseph Vernet et, quelques décennies plus tard, les artistes romantiques, Bernardin livre à la représentation une nature ambiguë que l'homme n'arrivera peut-être jamais à dominer : le roman ne s'ouvre-t-il pas sur la vision d'un paysage silencieux et désert où la seule trace humaine est celle des ruines de deux cabanes sans nom, perdues au milieu d'une nature sauvage et luxuriante ? Enfin, la destruction de l'harmonie amicale n'est pas tout entière à rapporter à l'influence destructrice de la civilisation, incarnée notamment en la personne de la vieille tante riche et malfaisante, mais aussi du gouverneur M. de la Bourdonnais. Le monde paradisiaque de *Paul et Virginie* se trouble sous l'effet d'un processus intérieur : celui de la perte de l'innocence enfantine dont sont parés les deux héros avec leur maturation vers l'adolescence et l'âge adulte. L'amour et le désir, mais aussi les conventions qui les brident, le souci des convenances et de la fortune ne sont pas compatibles avec le bonheur, semble nous dire Bernardin qui fait tenir la catastrophe de son roman à la pesanteur d'une robe dont la pudeur interdit de se défaire. Roman du bonheur enfantin, *Paul et Virginie* est aussi le roman du malheur du corps aliéné de la femme et du corps sexué.

Pour aller plus loin

Georges BENREKASSA, « L'univers culturel de *Paul et Virginie* : texte, intertexte, contexte », *Fables de la personne. Pour une histoire de la subjectivité*, Paris, PUF, 1985.

Jean FABRE, « *Paul et Virginie* pastorale », *Lumières et Romantisme*, Paris, Klincksieck, 1980.

Jean-Marc MOURA, *Lire l'exotisme*, Paris, Dunod, 1992.

Jean-Michel RACAULT, *Aventures aux Mascareignes*, Paris, La Découverte, 1984 ; *Robinson et compagnie. Aspects de l'insularité politique de Thomas More à Michel Tournier*, Paris, Petra, 2010.

Bernardin de Saint-Pierre et l'océan Indien, éd. Jean-Michel Racault, Chantale Meure et Angélique Gigan, Paris, Classiques Garnier, 2011.

Site internet :

Site de l'Assemblée nationale sur l'histoire de la traite et de l'abolition de l'esclavage :

http://www.assemblee-nationale.fr/histoire/esclavage/abolition.asp

L'écrivain
à sa table de travail

La nature comme
élément romanesque

1.

Paul et Virginie : roman
ou « étude de la nature » ?

Plusieurs manuscrits montrent que Bernardin avait sans doute déjà des premiers éléments de son roman en 1777 et qu'il l'a remanié à différentes reprises avant son impression. Un premier titre avait même été donné : *Histoire de Mlle Virginie de la Tour*. Mais *Paul et Virginie* est imprimé pour la première fois en 1788, dans le quatrième tome des *Études de la nature*.

Dans cet ouvrage, dont datent la reconnaissance et le succès de Bernardin comme homme de lettres, il entreprend une étude de différents phénomènes naturels (relevant aussi bien du règne animal que végétal ou minéral) avec le but d'en proposer une compréhension générale ainsi que de leur relation à l'homme. L'idée au cœur de la pensée de Bernardin est que « tout est lié dans la nature » : un principe d'harmonie gouvernerait le monde avec une complémentarité naturelle et équilibrée entre productions naturelles et besoins humains. Le sens de ce principe est religieux chez Bernardin puisqu'il se réfère à la Providence, notion issue de la tradition chrétienne selon laquelle la volonté de Dieu serait à l'œuvre dans l'ordre de la nature et la marche du monde. Ce qui intéresse Bernardin dans l'étude de la nature, ce sont les rapports des phénomènes les uns avec les autres, qui ne peuvent se saisir que par une démarche d'appréhension des éléments de la nature dans leur milieu. En cela, un critique, Colas Duflo, a pu dire que son œuvre présentait des « perspectives écologistes avant la lettre ».

Mais c'est aussi ce qui l'éloigne de la science moderne qui se développe alors, sur la base cartésienne d'une analyse qui isole les phénomènes pour mieux les décomposer et ainsi les comprendre. Bernardin se montre souvent très en retard sur les savoirs scientifiques de son temps : l'exemple le plus net en est sa théorie des marées qui repose sur un refus de la thèse de l'aplatissement de la terre aux pôles et implique au contraire la croyance en son allongement, contre les preuves expérimentales données par le scientifique contemporain Maupertuis. Ainsi, pour Bernardin, les marées et les courants (mais aussi le mythe chrétien du Déluge) s'expliqueraient par la fonte des montagnes à glace que seraient les pôles sous les feux du soleil. S'il défend opiniâtrement sa théorie absurde jusque dans l'avant-propos d'une réédition de *Paul et Virginie* en 1806, Bernardin n'est pourtant pas sans se méfier du regard scientifique sur la nature : il le juge desséchant (« nos livres sur la nature n'en sont que le roman, et nos cabinets que le tombeau », écrit-il par exemple dans le premier chapitre de ses *Études de la nature*) et déploie, au contraire, une vision émerveillée d'un ordre naturel qui serait moins à connaître qu'à admirer selon, là encore, une tradition intellectuelle chrétienne très ancienne.

Contre la science, Bernardin en appelle au sentiment et, loin de l'objectivité requise pour l'observation et l'analyse, il valorise l'admiration et l'idée de mystère que devrait susciter, selon lui, la contemplation d'une nature saisie plutôt comme création divine que comme objet de connaissance.

La genèse de *Paul et Virginie* semble s'inscrire dans ce projet général de réflexion sur le monde naturel, ou du moins Bernardin l'y rapporte-t-il dans l'« Avant-propos » qu'il donne au texte dans sa première édition de 1788 : « Je me suis proposé de grands desseins dans ce petit ouvrage. J'ai tâché d'en peindre un sol et des végétaux différents de ceux de l'Europe », annonce-t-il en revendiquant une écriture qui aurait la neutralité d'une description objective. De même, l'histoire racontée ne serait fondée que sur des faits vrais attestés par des témoins oraux que le narrateur aurait lui-même rencontrés :

> Il ne m'a point fallu imaginer de roman pour peindre des familles heureuses. Je puis assurer que celles dont je vais parler ont vraiment existé, et que leur histoire est vraie dans ses principaux événements. Ils m'ont été certifiés par plusieurs habitants que j'ai connus à l'île de France.

L'affirmation vise bien sûr à renforcer l'effet pathétique du texte par la vérité supposée (et certainement feinte) de l'histoire racontée. De fait, le statut du récit oscille entre fiction et histoire : Bernardin brouille les pistes puisque, s'il affirme que l'histoire est « vraie » (« Avant-propos » de 1788), il avoue dans le même texte y avoir ajouté « quelques circonstances indifférentes, mais qui, m'étant personnelles, ont encore en cela même de la réalité ». Le dispositif énonciatif lui-même, qui repose sur un récit enchâssé à la première personne dont le narrateur, le vieillard, est présenté comme un témoin direct des aventures rapportées, a pour fonction d'accréditer la véracité des faits. D'ailleurs, Bernardin s'est appuyé sur des personnes réelles (comme le gouverneur M. de la Bourdonnais) ou des événements historiques de son temps, tels que le naufrage du *Saint-Géran* qui, réellement arrivé en 1744, a fortement marqué les esprits de l'époque. Il paraît pourtant vain de chercher un modèle référentiel précis aux personnages et aux épisodes rapportés, et la vérité poursuivie par Bernardin relève plus de la réflexion morale ou philosophique que de l'enquête historique. Selon son auteur, le roman, qu'il désigne comme « essai », mériterait le titre de « Tableau de la Nature » (« Avant-propos » de 1788). En 1806, Bernardin revient dans le préambule d'une nouvelle édition du texte (séparée cette fois) sur le rapport entre celui-ci et ses *Études* : « Il n'est au fond qu'un délassement de mes *Études de la Nature*, et l'application que j'ai faite de ses lois au bonheur de deux familles malheureuses. » Le récit est présenté comme un divertissement (sans doute aussi bien pour son auteur que pour son lecteur) à côté d'une entreprise plus grave, mais il est décrit aussi comme « application », soit mise en œuvre concrète des conclusions tirées par Bernardin de ses réflexions sur le fonctionnement de l'ordre naturel. Le roman peut donc se comprendre comme une mise en exemple des principes philosophiques de son auteur, une figuration incarnée et sensible des principes qu'il défend dans son œuvre théorique. Et du reste, si dans ces mêmes paratextes, Bernardin revendique l'inspiration pastorale, la poésie pastorale dans la tradition de laquelle il inscrit *Paul et Virginie* n'est pas présentée comme une fiction, mais comme une nouvelle manière, moins « sèche » et plus sensible que ne l'est l'écriture réflexive et explicatrice, d'explorer et de mettre en forme le monde.

2.

Un *best-seller* sentimental

À peine paru, *Paul et Virginie* suscite un engouement considérable. L'année suivant sa première publication, le texte est l'objet d'une première édition séparée (1789) et il connaîtra plus de vingt-cinq réimpressions ou rééditions du seul vivant de l'auteur, sans compter les traductions réalisées dès le XVIIIe siècle dans l'Europe entière et même en Amérique. Le succès se confirme tout au long du XIXe siècle avec plusieurs centaines de rééditions, et encore jusque vers la moitié du XXe siècle avec plus de cent éditions. À cela s'ajoutent les nombreuses adaptations du texte pour les enfants, pour la scène (théâtre, ballet, ainsi qu'un opéra sur un livret de Favières et une musique de Rodolphe Kreutzer, 1791), deux films muets (1912 et 1923), un feuilleton télévisé (écrit par Luc de Goustine et diffusé en 1974) et une comédie musicale (Jean-Jacques Debout, 1992).

Bernardin a réussi à susciter et entretenir le succès en donnant à son roman l'allure d'un véritable phénomène de mode. Dès 1788, un « Avant-propos » vise à orienter la perception du texte en soulignant l'émotion dont il serait porteur :

> Lorsque j'eus formé, il y a quelques années, une esquisse fort imparfaite de cette espèce de pastorale, je priai une belle dame qui fréquentait le grand monde, et des hommes graves qui en vivaient loin, d'en entendre la

lecture, afin de pressentir l'effet qu'elle produirait sur des lecteurs de caractères si différents : j'eus la satisfaction de leur voir verser à tous des larmes. Ce fut le seul jugement que j'en pus tirer, et c'était aussi tout ce que j'en voulais savoir.

Les éditions identifient souvent cette « belle » auditrice à Mme Necker (femme de Jacques Necker, ministre des Finances de Louis XVI), que Bernardin connaissait par sa sœur, Mlle Germany. De même, certains cherchent à identifier les « hommes graves » à qui l'auteur aurait donné le primeur de son récit aux savants et lettrés Buffon ou Marmontel qui fréquentent son salon. Mais l'on ne peut savoir si la scène rapportée eut réellement lieu (d'autres sources signalent, au contraire, que les premiers lecteurs de *Paul et Virginie* auraient fort peu apprécié le texte), et sans doute faut-il plutôt la comprendre comme une manière par laquelle Bernardin construit un puissant effet d'attente et donne à son lecteur un modèle de la disposition au pathétique qu'il doit adopter à son tour pour bien recevoir le récit qu'il va lire.

Les années suivantes montrent en Bernardin un bon stratège qui sait utiliser toutes les ressources de la publication imprimée pour attiser et exploiter son succès. Il défend avec virulence ses intérêts contre les contrefaçons, c'est-à-dire les éditions réalisées sans son accord par des imprimeurs ou libraires peu scrupuleux. Le texte est aussi l'objet d'éditions sous plusieurs formats, permettant de s'adresser à des lecteurs plus ou moins fortunés : « en faveur des dames qui désirent mettre mes ouvrages dans leur poche », comme le dit Bernardin dans l'« Avis » de la première édition autonome du roman, en 1789, réalisée sous un petit format peu onéreux à la fabrication et la vente (mais sur un papier et avec des caractères d'imprimerie dont il vante la qualité). L'édition de luxe lancée en 1806 se destine, elle, à des collectionneurs amateurs de « beaux livres » qui l'ont payée par souscription (en avance, pour s'assurer de réserver leur exemplaire).

De même, Bernardin accompagne très tôt son récit d'illustrations. Dès sa première édition séparée de 1789, le livre s'orne de quatre gravures commandées à des artistes célèbres, comme Moreau le Jeune ou Joseph Vernet, auteur aussi la même année du premier tableau réalisé sur le thème de *Paul et Virginie* : une représentation du naufrage. Les images fixent les moments clés du livre : l'enfance, l'épisode de l'esclave en fuite, le départ de Virginie et le naufrage. En 1806, Bernardin adjoint au récit six figures dessinées et gravées par d'autres fameux artistes de l'époque tels que les peintres Anne-Louis Girodet et Pierre-Paul Prud'hon. Ce sont cette fois l'enfance de Paul et Virginie, le passage du torrent, l'arrivée de Mme de la Bourdonnais, les adieux, le naufrage de Virginie et, enfin, les tombeaux qui suscitent l'inspiration des artistes.

De multiples éditions du roman au XIXe siècle sont elles aussi illustrées et certaines s'imposent parmi les chefs-d'œuvre de l'édition romantique. On mentionnera notamment l'édition procurée par le libraire parisien Léon Curmer en 1838, qui s'orne de nombreuses vignettes gravées au milieu du texte et de figures en pleine page représentant les scènes majeures du livre. À côté, le roman donne lieu à la production de multiples suites d'images collectionnées par les amateurs ou destinées à la décoration des intérieurs, à la faveur de la vogue que connaissent alors l'exotisme et le pittoresque. Plus tard, au cours du dernier tiers du XIXe siècle, le récit est l'objet d'adaptations illustrées par des imprimeurs d'Épinal, un des plus gros centres français de la production de livrets populaires, peu chers et attirants par leurs illustrations aux vives couleurs (à consulter par exemple sur le site de la bibliothèque numérique Gallica).

3.

Souvenirs et réécritures :
un mythe littéraire au statut paradoxal

À côté de ce succès de librairie, l'histoire pathétique de *Paul et Virginie* a donné lieu dès la fin du XVIIIe siècle à un mouvement de célébration qui représente un phénomène curieux à plusieurs titres. Tout d'abord, il passe par la création d'objets de toutes sortes. Bernardin y fait allusion dans son préambule de 1806 : « On en imprima les divers sujets sur des ceintures, des bracelets, et d'ajustements [accessoires] de femme. » De fait, le musée Paul Dierx a pu réunir à l'occasion d'une exposition tenue en 1995 un grand nombre d'objets décoratifs ou de la vie quotidienne ornés de motifs inspirés de l'histoire de Paul et Virginie : paravents, éventails, papiers peints et tissus (les fameuses « Toiles de Jouy », imprimées à partir du milieu du XVIIIe siècle dans la ville de Jouy-en-Josas), figurines, assiettes. Cette « marchandisation » avant la lettre (sinon que les détenteurs des droits sur le livre, l'auteur et l'imprimeur n'en sont pas à l'origine) participe d'un contexte de promotion de la domination coloniale et, après 1810 où l'île Maurice passe sous la domination anglaise, entretient le souvenir

de la colonisation française de l'île. Actif aussi bien en
métropole que dans les îles de l'océan Indien, où sont
produits et diffusés certains de ces objets, le roman de
Bernardin est donc récupéré au profit de la diffusion
du mythe du paradis colonial créole et de l'entretien
de la nostalgie pour un ailleurs fantasmé fait de douceur
et de volupté.

Ce succès retentit dans de multiples œuvres du XIXe siècle : le lyrisme pathétique de Bernardin inspire Chateaubriand dans *Atala* (1801), par exemple. Mais l'œuvre
devient surtout le symbole même de la littérature sentimentale qui séduirait et, parfois, égarerait le cœur des
jeunes filles vers une idéalisation trompeuse du monde
et de l'amour. Balzac en suggère l'effet délétère sur la
jeune héroïne du *Curé de village* (1841) :

> Le lendemain, Véronique montra le livre au bon prê-
> tre qui en approuva l'acquisition, tant la renommée
> de *Paul et Virginie* est enfantine, innocente et pure.
> Mais la chaleur des tropiques et la beauté des paysa-
> ges, mais la candeur presque puérile d'un amour
> presque saint avaient agi sur Véronique. Elle fut ame-
> née par la douce et noble figure de l'auteur vers le
> culte de l'Idéal, cette fatale religion humaine !

Flaubert en fait le prénom des deux enfants de
Mme Aubais, dans *Un cœur simple* (1877), ainsi qu'un des
ouvrages de prédilection d'Emma, future Mme Bovary
(1857) :

> Elle avait lu *Paul et Virginie*, et elle avait rêvé la mai-
> sonnette de bambous, le nègre Domingo, le chien
> Fidèle, mais surtout l'amitié douce de quelque bon
> petit frère, qui va chercher pour vous des fruits rou-
> ges dans de grands arbres plus hauts que des clo-
> chers, ou qui court pieds nus sur le sable vous
> apportant un nid d'oiseau.

Un livre peut-il influer ainsi sur son lecteur au point d'en déterminer les aspirations ? Lire *Paul et Virginie*, est-ce forcément s'identifier aux héros, en épouser les émotions et en faire un modèle de comportement et de vie ? Il y a fort à parier que c'est plutôt l'anxiété d'un possible rapport intime et incontrôlable de l'individu, *a fortiori* de la femme, aux mots et à la lecture qui s'exprime en fait dans de telles scènes, incarnation de la peur des changements culturels et sociaux qui marquent une époque où l'accès généralisé au livre paraît menacer les structures traditionnelles. *Paul et Virginie* accompagne ce mouvement et, récit moralisateur devenu porteur des espoirs d'une émancipation par l'amour, en épouse tous les paradoxes.

Pour aller plus loin

Bernardin de SAINT-PIERRE, *Études de la nature*, éd. C. Duflo, Publications de l'Université de Saint-Étienne, 2007.

Malcom COOK, *Bernardin de Saint-Pierre : A Life of Culture*, Oxford, Legenda, 2006.

Paul TOINET, « *Paul et Virginie* », *répertoire bibliographique et iconographique*, Paris, G.-P. Maisonneuve et Larose, 1963.

Souvenirs de Paul et Virginie. Un paysage aux valeurs morales, éd. François Cheval, Saint-Denis, musée Léon Dierx, 1995.

Sites internet :

Site du musée Léon Dierx de Saint-Denis de la Réunion et en particulier la fiche documentaire sur « *Paul et Virginie* et la naissance d'une identité créole » :

http://www.cg974.fr/culture/index.php/L%C3%A9on-Dierx/pr%C3%A9sentation-dierx/fiches-documentaires-du-musee-leon-dierx.html

Iconothèque historique de l'océan Indien :

http://www.ihoi.org/app/photopro.sk/ihoi_icono/home (recherche avec le thème « Paul et Virginie »)

Bibliothèque numérique de la Bibliothèque nationale de France, Gallica :

http://gallica.bnf.fr

Groupement de textes

L'île

LE LIEU DE L'ÎLE, QUI NOURRIT SI FORTEMENT L'IMAGINAIRE de *Paul et Virginie,* revient régulièrement dans la littérature. Espace clos aux frontières nettes, il se prête à la réflexion sur le meilleur mode d'organisation politique et économique. Mais l'île nourrit aussi un fantasme de l'âge d'or et de pureté primitive qui en fait le support de projections imaginaires où se mêlent réflexion philosophique, rêveries des origines et quête d'aventures.

Thomas MORE (1478-1535)

L'Utopie (1516)

(trad. de J. Le Blond, modernisée par G. Navaud,
« Folio classique » n° 5413)

Un petit livre véritablement excellent, non moins salutaire que divertissant, sur la meilleure forme de République, et sur la nouvelle île d'Utopie *: tel est le titre complet de l'ouvrage publié par Thomas More en 1516 à Louvain. Humaniste, diplomate et homme d'État au service du roi d'Angleterre Henri VIII (avant de refuser de se rallier à sa politique de séparation de l'Église d'Angleterre vis-à-vis*

de l'Église catholique, à la suite de quoi More est accusé de
haute trahison et décapité en 1535), More y dépeint le fonc-
tionnement d'un royaume insulaire au gouvernement et aux
mœurs harmonieux et rationnels. L'inspiration est platoni-
cienne (la cité idéale de La République *et l'Atlantide des dia-*
logues Timée *et* Critias*), mais More renouvelle profondément*
le genre en donnant à sa description de l'île d'Utopie une préci-
sion et une complexité qui en font un livre fondateur. Exem-
plaire, mais non exempt de critiques de la part du narrateur,
le royaume d'Utopie est présenté comme une île réelle dont un
voyageur nommé Hythlodée rapporte les caractéristiques à un
narrateur désigné, lui, du nom de Morus. Leurs dialogues
constituent la première partie du livre et la seconde s'ouvre
sur une description de la situation géographique, des origi-
nes et de l'organisation spatiale de l'île d'Utopie.

L'île des Utopiens, par le milieu, où elle est la plus large,
a deux cents milles d'étendue[1], et n'est guère plus
étroite partout, sinon que vers les deux bouts, tant
d'un côté que de l'autre, petit à petit elle s'étrécit. Entre
ces deux bouts, qui délimitent les extrémités d'une
sorte d'arc de cercle de cinq cents milles de circonférence, l'île tout entière apparaît sous la forme d'un
croissant de lune. La mer coule entre ses deux cornes,
séparées par un détroit d'environ onze milles, et s'y
répand par un grand golfe vide, défendu de tous vents
et tourmentes, parce que tout à l'entour les terres
sont hautes et élevées. L'eau y est dormante et calme,
et semble être un grand lac, qui ne fait dommage à
rien. Tout le milieu presque de ce territoire leur fait
un beau port, qui laisse traverser les navires en toutes
régions, au grand profit et utilité des humaines. Les
détroits de ce golfe sont dangereux et redoutables, à
cause des rochers et bancs qui sont en ce lieu. Au
milieu de la distance et intervalle entre les deux cornes
de cette île, en la mer apparaît un rocher découvert,
et pour cela moins nuisible, sur lequel est assise une

---

1. Un mille représente à peu près 1, 5 km.

forteresse contre leurs ennemis. Il y a ailleurs d'autres rochers cachés qui sont dangereux. Le chenal de cette mer à eux seuls est connu : c'est pourquoi, quand quelque étranger veut entrer en ce port, il faut qu'il soit guidé par un Utopien, et eux-mêmes n'y osent entrer s'ils ne fichent quelques pieux qui leur montrent du rivage le chemin sûr. Si ces pieux étaient transplantés en divers autres lieux, ils pourraient facilement conduire à sa perte quelque grande flotte d'ennemis qui y aborderaient. De l'autre côté de cette île, il y a force havres pour entrer en cette terre, mais la descente de toutes parts est si munie et fortifiée, tant par la nature du lieu que par art, qu'une grosse troupe de gens de guerre peut être repoussée de là avec un petit nombre de défenseurs. En outre ainsi qu'on dit, et ainsi que l'assiette du lieu le montre, cette terre au temps passé n'était pas ceinte de mer, mais Utopus, dont l'île porte le nom en tant qu'il en fut vainqueur (car auparavant elle était appelée Abraxa), et qui introduisit ce peuple rude et agreste à un tel degré de culture et d'humanité que maintenant il surpasse presque tous les vivants, dès sa première arrivée conquit cette terre et demeura vainqueur ; puis du côté où elle se joignait à la terre voisine qui n'était point île, il en fit couper quinze milles, et fit passer la mer tout autour. Or à cette besogne il ne contraignit pas seulement les gens du pays mais, afin qu'ils ne considérassent pas ce labeur comme une injure, il mêla aussi avec eux tous ses soldats, et quand cet ouvrage fut livré et distribué à une si grande multitude de gens, la chose fut achevée avec une merveilleuse et incroyable diligence. Les voisins, qui au commencement se moquaient de cette folle et vaine entreprise, s'émerveillèrent et étonnèrent d'en voir l'effet heureux.

Cette île contient cinquante-quatre villes, toutes grandes et bien bâties, d'une même langue, de semblables mœurs, statuts et ordonnances, toutes d'une même situation, et partout, autant que le lieu s'y prête, d'une même semblance. Celles qui sont les plus proches ne sont point distantes l'une de l'autre de plus de vingt-quatre milles. De plus il n'y en a point de si lointaine, qu'on ne puisse aller à pied en un jour de l'une à l'autre. De chaque ville on élit trois bons vieillards bourgeois, bien expérimentés, qui tous les ans se transportent à la ville d'Amaurot[1] pour traiter des communes affaires de l'île. Car cette ville est la capitale, parce que, étant assise au milieu de cette île, elle est plus opportune aux ambassades qui peuvent venir de tous côtés.

Daniel DEFOE (1660-1731)

Robinson Crusoé (1719)

(trad. de P. Borel, « Folio classique » n° 3510)

Robinson Crusoé fut une des grandes lectures de Bernardin de Saint-Pierre et lui donna peut-être son premier goût pour les voyages. Paru à Londres, le roman de Defoe est présenté comme le récit de véritables aventures racontées à la première personne, tantôt sous la forme d'un journal, tantôt d'une narration rétrospective. Le roman est en deux parties, et la seconde, moins fameuse, rapporte la suite des aventures de son héros une fois retourné en Angleterre, après vingt-huit ans passés sur son île. La première, qui raconte le séjour majoritairement solitaire de Robinson sur son île, célèbre l'ingéniosité et la ténacité humaine. Sans expérience, le naufragé cherche, observe, réfléchit et se trompe avant de trouver les bonnes manières de faire. La récompense en est une assurance de survie, voire d'accès à un relatif confort, mais aussi un heureux sentiment de maîtriser le monde et son destin. Dans le passage qui suit, Robinson entreprend de se doter d'un élevage de chèvres et décide pour cela de leur construire un enclos.

---

1. Nom inventé à partir du grec, que l'on peut traduire par « ville mirage ».

L'entreprise était grande pour un seul homme, mais
une nécessité absolue m'enjoignait de l'exécuter. Mon
premier soin fut de chercher une pièce de terre convenable c'est-à-dire où il y eût de l'herbage pour leur
pâture, de l'eau pour les abreuver et de l'ombre pour
les garder du soleil.

Ceux qui s'entendent à faire ces sortes d'enclos trou-
veront que ce fut une maladresse de choisir pour place
convenable, dans une prairie ou *savane*, — comme on
dit dans nos colonies occidentales, — un lieu plat et
ouvert, ombragé à l'une de ses extrémités, et où ser-
pentaient deux ou trois filets d'eau ; ils ne pourront, dis-
je, s'empêcher de sourire de ma prévoyance quand je
leur dirai que je commençai la clôture de ce terrain
de telle manière, que ma haie ou ma palissade aurait
eu au moins deux milles de circonférence. Ce n'était
pas en la dimension de cette palissade que gisait l'extra-
vagance de mon projet, car elle aurait eu dix milles
que j'avais assez de temps pour la faire, mais en ce
que je n'avais pas considéré que mes chèvres seraient
tout aussi sauvages dans un si vaste enclos, que si elles
eussent été en liberté dans l'île, et que dans un si
grand espace je ne pourrais les attraper.

Ma haie était commencée, et il y en avait bien cinquante verges d'achevées lorsque cette pensée me vint.
Je m'arrêtai aussitôt, et je résolus de n'enclore que
cent cinquante verges en longueur et cent verges en
largeur, espace suffisant pour contenir tout autant de
chèvres que je pourrais en avoir pendant un temps raisonnable, étant toujours à même d'agrandir mon parc
suivant que mon troupeau s'accroîtrait.

C'était agir avec prudence, et je me mis à l'œuvre avec
courage. Je fus trois mois environ à entourer cette
première pièce. Jusqu'à ce que ce fût achevé je fis paître les trois chevreaux, avec des entraves aux pieds, dans
le meilleur pacage et aussi près de moi que possible,
pour les rendre familiers. Très-souvent je leur portais
quelques épis d'orge et une poignée de riz, qu'ils man-

geaient dans ma main. Si bien qu'après l'achèvement
de mon enclos, lorsque je les eus débarrassés de leurs
liens, ils me suivaient partout, bêlant après moi pour
avoir une poignée de grains.

Ceci répondit à mon dessein, et au bout d'un an et
demi environ j'eus un troupeau de douze têtes :
boucs, chèvres et chevreaux ; et deux ans après j'en
eus quarante-trois, quoique j'en eusse pris et tué plusieurs pour ma nourriture. J'entourai ensuite cinq
autres pièces de terre à leur usage, y pratiquant de
petits parcs où je les faisais entrer pour les prendre
quand j'en avais besoin, et des portes pour communiquer d'un enclos à l'autre.

Ce ne fut pas tout ; car alors j'eus à manger quand
bon me semblait, non-seulement la viande de mes
chèvres, mais leur lait, chose à laquelle je n'avais pas
songé dans le commencement, et qui lorsqu'elle me
vint à l'esprit me causa une joie vraiment inopinée.
J'établis aussitôt ma laiterie, et quelquefois en une
journée j'obtins jusqu'à deux gallons de lait. La
nature, qui donne aux créatures les aliments qui leur
sont nécessaires, leur suggère en même temps les
moyens d'en faire usage. Ainsi, moi, qui n'avais jamais
trait une vache, encore moins une chèvre, qui n'avais
jamais vu faire ni beurre ni fromage, je parvins, après
il est vrai beaucoup d'essais infructueux, à faire très
promptement et très adroitement et du beurre et du
fromage, et depuis je n'en eus jamais faute.

Que notre sublime Créateur peut traiter miséricordieu-
sement ses créatures, même dans ces conditions où
elles semblent être plongées dans la désolation ! Qu'il
sait adoucir nos plus grandes amertumes, et nous donner occasion de le glorifier du fond même de nos
cachots ! Quelle table il m'avait dressée dans le désert,
où je n'avais d'abord entrevu que la faim et la mort !

Un stoïcien eût souri de me voir assis à dîner au
milieu de ma petite famille. Là régnait ma Majesté le
Prince et Seigneur de toute l'île : j'avais droit de vie et
de mort sur tous mes sujets ; je pouvais les pendre, les

vider, leur donner et leur reprendre leur liberté. Point de rebelles parmi mes peuples !

Seul, ainsi qu'un Roi, je dînais entouré de mes courtisans ! Poll[1], comme s'il eût été mon favori, avait seul la permission de me parler ; mon chien, qui était alors devenu vieux et infirme, et qui n'avait point trouvé de compagne de son espèce pour multiplier sa race, était toujours assis à ma droite ; mes deux chats étaient sur la table, l'un d'un côté et l'autre de l'autre, attendant le morceau que de temps en temps ma main leur donnait comme une marque de faveur spéciale.

Ces deux chats n'étaient pas ceux que j'avais apportés du navire : ils étaient morts et avaient été enterrés de mes propres mains proche de mon habitation ; mais l'un d'eux ayant eu des petits de je ne sais quelle espèce d'animal, j'avais apprivoisé et conservé ces deux-là, tandis que les autres couraient sauvages dans les bois et par la suite me devinrent fort incommodes. Ils s'introduisaient souvent chez moi et me pillaient tellement, que je fus obligé de tirer sur eux et d'en exterminer un grand nombre. Enfin ils m'abandonnèrent, moi et ma Cour, au milieu de laquelle je vivais de cette manière somptueuse, ne désirant rien qu'un peu plus de société : peu de temps après ceci je fus sur le point d'avoir beaucoup trop.

Jean-Jacques ROUSSEAU (1712-1778)

« Cinquième promenade »

Les Rêveries du promeneur solitaire

(1776-1778)

(« Folio classique » n° 186)

La dernière partie de la vie de Rousseau est marquée par les conflits : sa position controversée de condamnation des arts et

---

1. C'est le nom donné au perroquet.

des divertissements, ainsi que ses méfiances vis-à-vis de l'idée de société et de civilisation amènent sa brouille avec les philosophes. Il se voit aussi chassé de sa ville natale, Genève, pour ses positions religieuses déistes. La polémique enfle avec les attaques d'un pasteur qui veut le faire excommunier et enflamme la population, l'incitant à s'en prendre à l'écrivain. Celui-ci est alors victimes d'insultes publiques et d'agressions, qui culminent dans l'épisode connu comme la lapidation de Môtiers (village à côté de Neuchâtel, en Suisse), le 6 septembre 1765. Rousseau trouve alors refuge à Saint-Pierre, une île sur le lac de Bienne, où il séjourne un mois et demi à l'automne 1765. C'est ce séjour qui fait l'objet de la « Cinquième promenade », où la narration autobiographique se mêle à une réflexion sur le fonctionnement des flux et reflux de la conscience humaine.

De toutes les habitations où j'ai demeuré (et j'en ai eu de charmantes), aucune ne m'a rendu si véritablement heureux et ne m'a laissé de si tendres regrets que l'île de Saint-Pierre au milieu du lac de Bienne. Cette petite île qu'on appelle à Neuchâtel l'île de La Motte est bien peu connue, même en Suisse. Aucun voyageur, que je sache, n'en fait mention. Cependant elle est très agréable et singulièrement située pour le bonheur d'un homme qui aime à se circonscrire ; car quoique je sois peut-être le seul au monde à qui sa destinée en ait fait une loi, je ne puis croire être le seul qui ait un goût si naturel, quoique je ne l'aie trouvé jusqu'ici chez nul autre.

Les rives du lac de Bienne sont plus sauvages et romantiques que celles du lac de Genève, parce que les rochers et les bois y bordent l'eau de plus près, mais elles ne sont pas moins riantes. S'il y a moins de culture de champs et de vignes, moins de villes et de maisons, il y aussi plus de verdure naturelle, plus de prairies, d'asiles ombragés de bocages, des contrastes plus fréquents et des accidents plus rapprochés. Comme il n'y a pas sur ces heureux bords de grandes routes commodes pour les voitures, le pays est peu fréquenté par les

voyageurs, mais il est intéressant pour des contempla-
tifs solitaires qui aiment à s'enivrer à loisir des charmes de la nature, et à se recueillir dans un silence que
ne trouble aucun autre bruit que le cri des aigles, le
ramage entrecoupé de quelques oiseaux, et le roule-
ment des torrents qui tombent de la montagne ! Ce
beau bassin d'une forme presque ronde enferme dans
son milieu deux petites îles, l'une habitée et cultivée,
d'environ une demi-lieue de tour, l'autre plus petite,
déserte et en friche, et qui sera détruite à la fin par
les transports de terre qu'on en ôte sans cesse pour
réparer les dégâts que les vagues et les orages font à la
grande. C'est ainsi que la substance du faible est toujours employée au profit du puissant.

Il n'y a dans l'île qu'une seule maison, mais grande,
agréable et commode, qui appartient à l'hôpital de
Berne ainsi que l'île, et où loge un receveur[1] avec sa
famille et ses domestiques. Il y entretient une nom-
breuse basse-cour, une volière et des réservoirs pour
le poisson. L'île dans sa petitesse est tellement variée
dans ses terrains et ses aspects qu'elle offre toutes sortes de sites et souffre toutes sortes de cultures. On y
trouve des champs, des vignes, des bois, des vergers,
de gras pâturages ombragés de bosquets et bordés
d'arbrisseaux de toute espèce dont le bord des eaux
entretient la fraîcheur ; une haute terrasse plantée de
deux rangs d'arbres borde l'île dans sa longueur, et
dans le milieu de cette terrasse on a bâti un joli salon
où les habitants des rives voisines se rassemblent et
viennent danser les dimanches durant les vendanges.
[...]

Quand le lac agité ne me permettait pas la navigation,
je passais mon après-midi à parcourir l'île en herbori-
sant à droite et à gauche m'asseyant tantôt dans les
réduits les plus riants et les plus solitaires pour y rêver
à mon aise, tantôt sur les terrasses et les tertres, pour

---

1. Personnel administratif chargé de percevoir les recettes.

parcourir des yeux le superbe et ravissant coup d'œil du lac et de ses rivages couronnés d'un côté par des montagnes prochaines et de l'autre élargis en riches et fertiles plaines, dans lesquelles la vue s'étendait jusqu'aux montagnes bleuâtres plus éloignées qui la bornaient.

Quand le soir approchait je descendais des cimes de l'île et j'allais volontiers m'asseoir au bord du lac sur la grève dans quelque asile caché ; là le bruit des vagues et l'agitation de l'eau fixant mes sens et chassant de mon âme toute autre agitation la plongeaient dans une rêverie délicieuse où la nuit me surprenait souvent sans que je m'en fusse aperçu. Le flux et reflux de cette eau, son bruit continu mais renflé par intervalles frappant sans relâche mon oreille et mes yeux, suppléaient aux mouvements internes que la rêverie éteignait en moi et suffisaient pour me faire sentir avec plaisir mon existence sans prendre la peine de penser. De temps à autre naissait quelque faible et courte réflexion sur l'instabilité des choses de ce monde dont la surface des eaux m'offrait l'image : mais bientôt ces impressions légères s'effaçaient dans l'uniformité du mouvement continu qui me berçait, et qui sans aucun concours actif de mon âme ne laissait pas de m'attacher au point qu'appelé par l'heure et par le signal convenu je ne pouvais m'arracher de là sans effort.

Après le souper, quand la soirée était belle, nous allions encore tous ensemble faire quelque tour de promenade sur la terrasse pour y respirer l'air du lac et la fraîcheur. On se reposait dans le pavillon, on riait, on causait, on chantait quelque vieille chanson qui valait bien le tortillage[1] moderne, et enfin l'on s'allait coucher content de sa journée et n'en désirant qu'une semblable pour le lendemain.

Telle est, laissant à part les visites imprévues et importunes, la manière dont j'ai passé mon temps dans cette

---

1. Façon de s'exprimer confuse et embarrassée.

île durant le séjour que j'y ai fait. Qu'on me dise à présent ce qu'il y a là d'assez attrayant pour exciter dans mon cœur des regrets si vifs, si tendres et si durables qu'au bout de quinze ans il m'est impossible de songer à cette habitation chérie sans m'y sentir à chaque fois transporté encore par les élans du désir.

Jules VERNE (1828-1905)

L'Île mystérieuse (1871)

(« Folio classique » n° 186)

En pleine guerre de Sécession, des Américains s'embarquent sur un aérostat qui, pris dans un ouragan, s'échoue sur une île déserte. Les rescapés (l'ingénieur, Cyrus Smith, un journaliste reporter, Gédéon Spilett, l'esclave affranchi de Smith, Nab, le marin Pencroff et le jeune Harbert, âgé de quinze ans) s'organisent et ne tardent pas à explorer le bout de terre qui les a recueillis. Parvenus à son plus haut sommet, ils découvrent qu'ils sont sur une île et s'empressent d'en faire la cartographie.

L'île était là sous leurs yeux comme une carte déployée, et il n'y avait qu'un nom à mettre à tous ses angles rentrants ou sortants, comme à tous ses reliefs. Gédéon Spilett les inscrirait à mesure, et la nomenclature géographique de l'île serait définitivement adoptée.
Tout d'abord, on nomma baie de l'Union, baie Washington et mont Franklin, les deux baies et la montagne, ainsi que l'avait fait l'ingénieur. « Maintenant, dit le reporter, à cette presqu'île qui se projette au sud-ouest de l'île, je proposerai de donner le nom de presqu'île Serpentine, et celui de promontoire du Reptile (Reptile-end) à la queue recourbée qui la termine, car c'est véritablement une queue de reptile.
— Adopté, dit l'ingénieur.
— À présent, dit Harbert, cette autre extrémité de l'île,

ce golfe qui ressemble si singulièrement à une mâchoire ouverte, appelons-le golfe du Requin (Shark-gulf).

— Bien trouvé ! s'écria Pencroff, et nous compléterons l'image en nommant cap Mandibule (Mandible-cape) les deux parties de la mâchoire.

— Mais il y a deux caps, fit observer le reporter.

— Eh bien ! répondit Pencroff, nous aurons le cap Mandibule-Nord et le cap Mandibule-Sud.

— Ils sont inscrits, répondit Gédéon Spilett.

— Reste à nommer la pointe à l'extrémité sud-est de l'île, dit Pencroff.

— C'est-à-dire l'extrémité de la baie de l'Union ? répondit Harbert.

— Cap de la Griffe (Claw-cape) », s'écria aussitôt Nab, qui voulait aussi, lui, être parrain d'un morceau quelconque de son domaine.

Et, en vérité, Nab avait trouvé une dénomination excellente, car ce cap représentait bien la puissante griffe de l'animal fantastique que figurait cette île si singulièrement dessinée. Pencroff était enchanté de la tournure que prenaient les choses, et les imaginations, un peu surexcitées, eurent bientôt donné :

À la rivière qui fournissait l'eau potable aux colons, et près de laquelle le ballon les avait jetés, le nom de la Mercy, — un véritable remerciement à la Providence ; à l'îlot sur lequel les naufragés avaient pris pied tout d'abord, le nom de l'îlot du Salut (Safety-island) ; au plateau qui couronnait la haute muraille de granit, au-dessus des Cheminées, et d'où le regard pouvait embrasser toute la vaste baie, le nom de plateau de Grande-vue ; enfin à tout ce massif d'impénétrables bois qui couvraient la presqu'île Serpentine, le nom de forêts du Far-West.

La nomenclature des parties visibles et connues de l'île était ainsi terminée, et, plus tard, on la compléterait au fur et à mesure des nouvelles découvertes.

Quant à l'orientation de l'île, l'ingénieur l'avait déterminée approximativement par la hauteur et la position du soleil, ce qui mettait à l'est la baie de l'Union et tout le plateau de Grande-vue. Mais le lendemain, en prenant l'heure exacte du lever et du coucher du soleil, et en relevant sa position au demi-temps écoulé entre ce lever et ce coucher, il comptait fixer exactement le nord de l'île, car, par suite de sa situation dans l'hémisphère austral, le soleil, au moment précis de sa culmination, passait au nord, et non pas au midi, comme, en son mouvement apparent, il semble le faire pour les lieux situés dans l'hémisphère boréal. Tout était donc terminé, et les colons n'avaient plus qu'à redescendre le mont Franklin pour revenir aux Cheminées, lorsque Pencroff de s'écrier :

« Eh bien ! nous sommes de fameux étourdis !

— Pourquoi cela ? demanda Gédéon Spilett, qui avait fermé son carnet, et se levait pour partir.

— Et notre île ? Comment ! Nous avons oublié de la baptiser ? »

Harbert allait proposer de lui donner le nom de l'ingénieur, et tous ses compagnons y eussent applaudi, quand Cyrus Smith dit simplement :

« Appelons-la du nom d'un grand citoyen, mes amis, de celui qui lutte maintenant pour défendre l'unité de la république américaine ! Appelons-la l'île Lincoln ! »

Trois hurrahs furent la réponse faite à la proposition de l'ingénieur.

Victor SEGALEN (1878-1919)

Les Immémoriaux (1907)

(Éditions Robert Laffont, « Bouquins »)

Écrivain voyageur, Segalen conçoit le projet de ce livre, désigné aussi comme « Cycle polynésien » lors d'un voyage à Tahiti en 1903. Les îles des mers du Sud ont leur poésie (dont on trouve, par exemple, des échos chez Baudelaire) et leurs romans, qui peuvent donner dans un exotisme complaisant (Pierre Loti), mais la voie de Victor Segalen est originale. Inspiré par le peintre Paul Gauguin, il part à son tour à la recherche de la mémoire polynésienne maorie, menacée de destruction par les vagues colonisatrices qu'elle subit (celle des missionnaires catholiques au premier chef) : « J'ai essayé d'écrire les gens tahitiens d'une façon adéquate à celle dont Gauguin les vit pour les peindre : en eux-mêmes, et du dedans en dehors », écrit Segalen à Henri de Monfreid en 1906. À la fois récit, poème et essai d'ethnographie, Les Immémoriaux *s'ouvrent sur les préparatifs du rituel quotidien de la prière par le « récitant », prêtre maori, Térii.*

Cette nuit-là — comme tant d'autres nuits si nombreuses qu'on n'y pouvait songer sans une confusion —, Térii le Récitant marchait, à pas mesurés, tout au long des parvis inviolables. L'heure était propice à répéter sans trêve, afin de n'en pas omettre un mot, les beaux parlers originels : où s'enferment, assurent les maîtres, l'éclosion des mondes, la naissance des étoiles, le façonnage des vivants, les ruts et les monstrueux labeurs des dieux maoris[1]. Et c'est affaire aux promeneurs-de-nuit, aux haèré-po[2] à la mémoire longue, de se livrer, d'autel en autel et de sacrificateur à disciple, les histoires premières et les gestes qui ne doivent pas mourir. Aussi, dès l'ombre venue, les haéré-po se hâtent à leur tâche : de chacune des terrasses divines, de chaque maraè[3] bâti sur le cercle du rivage, s'élève dans l'obscur un murmure monotone, qui, mêlé à la voix houleuse du récif, entoure l'île d'une ceinture de prières.

Mais un incident se produit, qui annonce les menaces pesant sur cette tradition culturelle :

Or, comme il achevait, avec grand soin, sa tâche pour la nuit — nuit quinzième après la lune morte —, voici

---

1. Terme qui désigne les populations autochtones de Polynésie.
2. Terme polynésien qui signifie « prêtre ».
3. Terme polynésien pour « temple ».

que tout à coup le récitant se prit à balbutier... Il s'arrêta ; et, redoublant son attention, recommença le récit d'épreuve. On y dénombrait les séries prodigieuses d'ancêtres d'où sortaient les chefs, les Arii, divins par la race et par la stature :

Dormait le chef Tavi du maraè Taütira, avec la femme Taüra,
Puis avec la femme Tuitéraï du maraè Papara :
De ceux-là naquit Tériitahia i Marama.
Dormait Tériitahia i Marama avec la femme Tétuaü Méritini du maraè Vaïrao :
De ceux-là naquit...

Un silence pesa, avec une petite angoisse. Aué ! que présageait l'oubli du nom ? c'est mauvais signe lorsque les mots se refusent aux hommes que les dieux ont désignés pour être gardiens des mots ! Térii eut peur ; il s'accroupit ; et, adossé à l'enceinte en posture familière, il songeait.

Sans doute, il avait tressailli de même sorte, une autre nuit, déjà : quand un prêtre subalterne du maraè rival Atahuru s'était répandu, contre lui, en paroles venimeuses. Mais Térii avait rompu le charme par une offrande à Tané[1] qui mange les mauvais sorts, et les maléfices, aussitôt, s'étaient retournés sur le provocateur : le prêtre d'Atahuru se rongeait d'ulcères ; ses jambes gonflaient. — Il est aisé de répondre aux coups si l'on voit le bras d'où ils tombent.

Cette fois, les menaces étaient plus équivoques et nombreuses, et peuplaient, semblait-il, tous les vents environnants. Le mot perdu n'était qu'un présage entre bien d'autres présages que Térii flairait de loin, qu'il décelait, avec une prescience d'inspiré, comme un cochon sacré renifle, avant l'égorgement, la fadeur du charnier où on le traîne. Déjà les vieux malaises familiers se faisaient plus hargneux. D'autres, insoupçonnés, s'étaient abattus — voici vingt lunaisons, ou

---

1. Nom d'un dieu polynésien.

cent, ou plus — parmi les compagnons, les parents, les fetii[1].

Le récitant se fait le témoin de la destruction du paradis insulaire et de ses traditions ancestrales, rongés de l'intérieur par les conflits entre maoris et menacés de l'extérieur par la venue des missionnaires chrétiens et des colons :

Et l'île heureuse, devant l'angoisse de ses fils, tremblait dans ses entrailles vertes : voici tant de lunaisons qu'on n'avait pu, sans craindre d'embûches, célébrer en paix les fêtes du fécondateur ! De vallée à vallée on se heurtait sous la menée de chefs rancuniers et impies. Ils étaient neuf à se déchirer le sol, et se disputaient pour les îlots du récit. Ils couraient en bataille avant que les prêtres aient prononcé : « Cette guerre est bonne. Allez ! » Ils luttaient même pour la mer-extérieure ! les hommes ne s'assemblaient que pour lancer, contre d'autres hommes, ces pirogues doubles dont la proue se lève en museau menaçant, et nul ne songeait plus, ainsi qu'aux temps d'Amo-le-constructeur, à conduire un peuple vers la mer, pour tailler le corail, le polir, et dresser d'énormes terrasses en hommage aux dieux maoris. Ainsi, les souffles nouveaux qui empoisonnaient sans égard les esclaves, les manants, les possesseurs-de-terre, les Arii[2], se manifestaient, injurieux même aux atua[3] ! — Contre ces souffles, voici que les conjurations coutumières montraient une impuissance étrange. Le remède échappait au pouvoir des sorciers, au pouvoir des prêtres, au pouvoir de Oro[4] : cela venait de dieux inconnus…

---

1. Les parents.
2. Les chefs.
3. Divinités.
4. Nom de dieu.

Pour aller plus loin

Carlo GINZBURG, *Nulle île n'est une île. Quatre regards sur la littérature anglaise,* traduit de l'italien par Martin Rueff, Verdier.

Dictionnaire des lieux et pays mythiques (sous la direction de J.-D. Poli, O. Battistini, J.-J. Vincensini et P. Ronzeaud), Robert Laffont, « Bouquins », 2011.

Une exposition en ligne de la Bibliothèque nationale de France sur l'utopie :

http://expositions.bnf.fr/utopie/

Chronologie

Bernardin de Saint-Pierre
et son temps

1.

Les difficiles débuts
d'un ingénieur militaire

Originaire d'une famille bourgeoise du Havre, Jacques-Henri Bernardin de Saint-Pierre fait son premier voyage à l'âge de douze ans où il embarque pour la Martinique sur un navire commandé par un de ses oncles. L'expérience n'est pas heureuse et lui donne une première occasion de mesurer l'écart entre l'idéal romanesque habitant le grand lecteur qu'il est alors de romans d'aventures (comme *Robinson Crusoé* de Daniel Defoe) et la réalité difficile de la vie et du travail en mer. De retour en France, sa famille l'envoie étudier chez les jésuites de Caen, puis de Rouen, avant son entrée à l'École des ponts et chaussées. Parce que l'institution ferme avant la fin de ses études, Bernardin en sort sans diplôme, mais réussit l'année suivante, dans des conditions obscures, à obtenir un diplôme d'ingénieur militaire. Enrôlé dans l'armée pour la campagne d'Allemagne (guerre de Sept Ans), il en est congédié pour indiscipline, et revient en France, sans ressources. Après un bref séjour à l'île de Malte, Bernardin entame une période de voyages en Europe (Hollande, Russie, Finlande, Pologne, Allemagne), à la recherche de protections et d'emplois. De retour en France, il est dépouillé de son héritage paternel par sa belle-mère et connaît une vie difficile à Paris. Il obtient alors d'être nommé capitaine-ingénieur du roi et embarque, en 1768, pour l'île de France — aujourd'hui, l'île Maurice, baptisée « de France » durant le petit siècle de son contrôle par la France, de 1715 à 1810 (où l'île est reprise par les Anglais). Il y reste trois ans comme officier du roi chargé des bâtiments.

1735 Expédition au Pérou par La Condamine et Bouguer. Mesure d'un méridien par La Condamine.

1744 18 août : naufrage du *Saint-Géran*, vaisseau de la Compagnie des Indes venant de Lorient, à proximité de l'île de France.

1749 Parution de l'*Histoire naturelle* de Buffon (1749-1789).

1751 Parution du premier volume de l'*Encyclopédie*.

1756 Guerre de Sept Ans en Amérique du Nord (1756-1763). Jean-Jacques Rousseau, *Discours sur l'origine et les fondements de l'inégalité*.

1758 Linné, *Le Système de la nature*.

1759 Voltaire, *Candide*.

1761 Rousseau, *Julie ou la Nouvelle Héloïse*.

1766 Voyage de Bougainville (1766-1769) dans le Pacifique.

1767 Voltaire, *L'Ingénu*.

1768 La France acquiert la Corse. Premier voyage de l'Anglais James Cook dans le Pacifique.

1771 Bougainville, publication du récit du *Voyage autour du monde* ; rédaction par Diderot des textes qui formeront le *Supplément au voyage de Bougainville* (resté manuscrit jusqu'en 1798).

1778 Mort de Rousseau et de Voltaire.
1781 Condorcet, *Réflexion sur l'esclavage des nègres*.
1782 Choderlos de Laclos, *Les Liaisons dangereuses*. Publication posthume des *Confessions* de Jean-Jacques Rousseau.
1785 Départ de l'expédition de La Pérouse commandée par Louis XVI pour établir des bases françaises dans le Pacifique Nord et Sud.

2.

Un homme de lettres à succès

De retour en France, en 1771, Bernardin fréquente les milieux philosophiques et littéraires et se rapproche en particulier de Jean-Jacques Rousseau. Il publie son premier ouvrage, *Voyage à l'île de France, à l'île Bourbon, au cap de Bonne-Espérance, par un officier du roi* (1773), qui tient à la fois du journal de voyage et de la description méthodique de la faune et de la flore locales. Ses relations avec les philosophes sont conflictuelles et sa vie quotidienne reste difficile. En 1781, il compose le poème en prose de *L'Arcadie*, et publie, en 1784, les *Études de la nature*. Le succès de ce qui se présente comme une somme systématique à prétention scientifique est immédiat. Bernardin y a versé son expérience du voyage, mais aussi d'ingénieur et de naturaliste, tout en y développant des convictions scientifiques fantaisistes.

C'est au quatrième tome de cette œuvre que paraît *Paul et Virginie*, en 1788. La Révolution se déclenche et Bernardin est membre de l'assemblée populaire de son district. En 1789, il compose les *Vœux d'un solitaire* et

en 1790 *La Chaumière indienne*. En 1792, Bernardin est
invité à la fête de la Confédération ; il est élu à la Convention, mais il refuse d'y siéger. En juillet, il est
nommé intendant du Jardin des Plantes (qui remplace
le Jardin du Roi, au sein du nouveau Muséum national
d'histoire naturelle) ; il y installera la Ménagerie.

1788 Convocation des États généraux. Fondation de la
     Société des amis des Noirs.
1789 5 mai : réunion des États généraux.
     17 juin : le tiers état se proclame Assemblée natio-
     nale.
     14 juillet : prise de la Bastille. 4 août : abolition des
     privilèges.
     26 août : Déclaration des droits de l'homme.
1792 Proclamation de la République
     Début de la première guerre de coalition contre la
     France (1792-1797)
     Procès de Louis XVI.

3.

À travers la Révolution

S'amorce pour lui une carrière à succès dans les institutions savantes qui se recomposent avec la nouvelle république : son poste au Jardin des Plantes n'est
pas renouvelé, mais il est nommé professeur de morale à
l'École normale de l'an III (ancêtre de l'École normale
supérieure) tout juste créée. En 1795, alors que l'École
est supprimée, il devient membre de l'Institut de France,
nouvelle institution visant à regrouper les académies de

l'Ancien Régime (Académie française, mais aussi Académie des inscriptions et belles-lettres, Académie des sciences...) qu'il préside à partir de 1807. Rallié à Napoléon Bonaparte à partir de 1802, il s'adonne également à une pratique assidue de la religion catholique.

Bernardin s'est entre-temps marié avec la fille de l'imprimeur Firmin Didot, Félicité Didot, dont il a eu deux enfants, nommés... Virginie et Paul. Il meurt en 1814.

1799 Coup d'État de Napoléon Bonaparte.
1801 Chateaubriand, *Atala*.
1802 Chateaubriand, *Le Génie du christianisme*.
1803 Lancement d'une souscription pour une édition de *Paul et Virginie* en grand format et avec de nouvelles illustrations.
1804 Établissement de l'Empire. 2 décembre : Napoléon se fait sacrer empereur.
1814 Chute de Napoléon.
      La Restauration : règne de Louis XVIII (1755-1824).

Pour aller plus loin

Michel DELON, Françoise MÉLONIO, Bertrand MARCHAL et Jacques NOIRAY, *La Littérature française : dynamique et histoire II (XVIIIᵉ siècle)*, Paris, Gallimard, « Folio essais inédit », 2007.

Gérard GENGEMBRE, *À vos plumes citoyens ! Écrivains, journalistes, orateurs et poètes, de la Bastille à Waterloo*, Gallimard, « Découverte – Littérature », 1988.

Éléments pour une fiche de lecture

Regarder le tableau

- Commentez l'importance de la lumière dans cette composition en vous attachant particulièrement à l'opposition entre la luminosité de l'éclair et la noirceur du ciel. Quel est l'effet produit par ce jeu de clair-obscur ? Où le regard est-il orienté ?

- Faites des recherches sur ce que l'on nomme une « marine » en peinture. Selon vous, cette œuvre répond-elle à ce genre ? Justifiez votre choix.

- La mer déchaînée est un topos pictural, en particulier pendant la période romantique, et personnifie les passions agitées de l'âme. À partir de votre appréhension de l'œuvre, décrivez en quelques lignes un certain état d'âme, une passion ou un sentiment inspiré de ce que vous évoque cette scène.

- Combien de personnages distinguez-vous dans cette œuvre ? Étaient-ils, selon vous, tous sur le bateau qui s'échoue ? Décrivez leurs activités respectives puis commentez plus particulièrement la posture de la femme en rouge.

- Faites des recherches sur la célèbre toile *Le Radeau de la Méduse* de Théodore Géricault et proposez une analyse comparée du traitement de la mer et du thème du naufrage dans les deux toiles. Quels sont les points communs ? Les différences ?

L'énonciation, le lieu et le temps du récit

- Qui raconte l'histoire de Paul et de Virginie ? À qui ? Que sait-on sur chacun de ces personnages et en quoi cela peut-il influer sur le contenu même du texte et sur ses effets sur le lecteur ?
- Relevez au fil du récit les autres passages où ce narrateur intervient : quels sont ses liens avec les familles de Paul et Virginie ? À la page 50, ce narrateur précise d'où il tient certaines de ses informations : quelle en est la source ?
- Relevez toutes les dates et les éventuels autres marqueurs chronologiques présents dans le texte : tous les moments sont-ils précisément datés ? Lesquels le sont et pourquoi ?
- Établissez les grandes étapes du texte (enfance, première aventure…) en prêtant attention aux circonstances qui les causent. Relevez aussi les changements de temps dans les verbes qui les marquent.
- Retrouvez dans le texte le passage où le narrateur explicite le rapport au temps des personnages : qu'est-ce qui le caractérise ? À quoi s'oppose-t-il ? De quelle décision politique prise au cours de la Révolution française peut-on le rapprocher ?
- Lisez la description de la topographie de l'île dans les premières pages du roman. Que pensez-vous des noms donnés aux lieux ? Sont-ils neutres ? Relevez au fil du texte des noms de lieux venant de parties

du corps humain. Quelles connotations apportent-ils au rapport à l'espace ?

- Comparez cette description topographique à l'extrait de *L'Île mystérieuse* qui se trouve dans le groupement de textes : d'où viennent les noms de lieux dans le passage de Jules Verne ? Quelles conséquences peut-on en tirer sur le rapport à l'espace insulaire ?

- Comment est désigné le lieu où s'installent les héroïnes du roman au début du récit ? Quelles sont les caractéristiques de ce lieu ? Quelle valeur cela lui donne-t-il ?

- Comment sont représentées l'Europe et la France dans le récit ? Quels sont les personnages qui les incarnent ? Quels comportements et valeurs y sont associés ?

La construction des personnages

- Que sait-on du passé des deux principaux personnages féminins et par quel procédé ce passé nous est-il rapporté ?

- Quelles sont les données sociales qui caractérisent chacune ? Comparez leur statut social et familial. Quelle conclusion peut-on en tirer sur leurs rapports : qu'est-ce qui les éloigne, qu'est-ce qui les rapproche ?

- Quels rapports ont-elles avec les autres habitants de l'île ? Qui sont leurs proches ? Que peut-on en déduire sur leur mode de vie ?

- Analysez les portraits physiques des deux principaux protagonistes (p. 19) : quelles caractéristiques principales s'en dégagent ?

- Quelles sont les relations de Paul et Virginie enfants ?

Puis adolescents ? Quelle donnée fait évoluer leurs relations et dans quel sens ?

- Peut-on dire que ces enfants appartiennent à une même famille ? Fondez votre réponse sur un relevé précis des termes par lesquels ils se désignent mutuellement et sont désignés par leur mère.

- Par quels termes sont désignés les personnages de couleur dans le texte ? Quels sont leurs statuts ou leur rôle ? Quelles sont les caractéristiques physiques et morales qui leur sont attachées dans le roman ? Que peut-on en déduire sur le regard qui est posé dans le livre sur ces personnages ?

La nature

- Relisez le passage décrivant le retour de Paul et Virginie de la plantation (à partir de la page 24). Relevez les éléments composant leur repas et leur boisson. Comment se les procurent-ils ? Quels autres éléments naturels utilisent-ils et qu'en font-ils ? Quelle représentation de la nature se dégage de ce passage ? Aidez-vous en particulier des commentaires de l'auteur dans la note qu'il ajoute au récit p. 30.

- Analysez la description du jardin de Paul (p. 33) :
  1) Quelles plantes y trouve-t-on ? Que pensez-vous de leur désignation et de leur nom ? Est-ce que les définitions des notes (que vous pouvez compléter par des recherches dans des dictionnaires) sont très utiles ici ? Dans le passage commençant par « Paul, à l'âge de douze ans » et se terminant par « escarpements de la montagne » (p. 33-34), Bernardin rapproche cette nature exotique d'éléments plus familiers, faites-en le relevé. Que peut-on en déduire ?
  2) Quelle est la caractéristique de la plupart des

plantes du jardin ? Ont-elles une fonction ? Servent-elles à quelque chose ?

3) Quelle est la forme donnée au jardin et quelles en sont les différentes parties ? À quoi renvoient les noms qui leur sont donnés (p. 38) ?

4) Pourquoi ce jardin est-il détruit ? À quel moment dans le récit cela intervient-il et quelle est la signification symbolique de cet événement ?

Bernardin qualifie (p. 49) Paul et Virginie d'« enfants de la nature » : quel est ici le sens du mot de nature ? Que signifie cette expression ? Quelle est l'image concrète dans le livre de la relation entre ces personnages et la nature ?

- Quels sont les arguments que donne Paul à Virginie pour tenter de la dissuader de se rendre en France ? Quels sont ensuite les arguments que donne le vieillard à Paul lors de leur long dialogue pour le convaincre aussi de ne pas la rejoindre ? Quelle image de la société française, par opposition avec la vie dans l'île, ces deux ensembles d'arguments donnent-ils ?

L'évolution du récit

- Comment comprenez-vous le changement qui affecte Virginie à partir de la page 51 ? La cause en est-elle explicitement nommée dans le texte ? Pourquoi d'après vous ?
- Qualifiez le genre du passage mettant en scène le vieillard et Paul à partir de la page 87. Quels sont les différents points qui y sont traités ?
- Relisez le passage où est décrit le *Saint-Géran* au milieu de l'ouragan (p. 105-107) : qu'est-ce qui caractérise le vocabulaire employé dans ce passage ? Quel

est l'effet produit sur le lecteur ? Quel est le point de vue à partir duquel la scène est décrite ? Justifiez votre réponse et analysez l'effet recherché par ce procédé.

- Quelle est la cause précise de la mort de Virginie ? Quel sens son attitude a-t-elle ? À quel(s) type(s) ou valeur(s) de comportement peut-on la rapporter ?
- Qui énonce la morale portée par la vie et la mort de Virginie ? Quelle est cette morale ? Qu'en pensez-vous ?

Atelier d'écriture

- Choisissez un nom de fruit ou de légume que vous connaissez bien et décrivez-en la forme, la texture, la couleur ainsi que le goût en utilisant des comparaisons concrètes permettant de se le représenter clairement.
- Virginie prend la plume pour raconter à sa mère sa mésaventure lors de l'épisode de la plantation avec l'esclave marronne. Écrivez cette lettre en vous fondant sur les détails donnés par le récit aux pages 23 à 31. Votre lettre devra développer les émotions et les sensations vécues par la jeune fille.
- Mettez-vous à la place d'un des rescapés du naufrage final et décrivez celui-ci, en prenant notamment en compte la présence des témoins à terre, les tentatives de Paul, l'attitude étrange de Virginie.

Collège

Combats du 20ᵉ siècle en poésie (anthologie) (161)

Mère et fille (Correspondances de Mme de Sévigné, George Sand, Sido et Colette) (anthologie) (112)

Poèmes à apprendre par cœur (anthologie) (191)

Poèmes pour émouvoir (anthologie) (225)

Les récits de voyage (anthologie) (144)

La Bible (textes choisis) (49)

Fabliaux (textes choisis) (37)

Les Quatre Fils Aymon (208)

Schéhérazade et Aladin (192)

La Farce de Maître Pathelin (146)

Gilgamesh et Hercule (217)

ALAIN-FOURNIER, *Le Grand Meaulnes* (174)

JEAN ANOUILH, *Le Bal des voleurs* (113)

Marcel AYMÉ, Ray BRADBURY, Dino BUZZATI, *3 nouvelles sur le temps* (240)

Honoré de BALZAC, *L'Élixir de longue vie* (153)

Henri BARBUSSE, *Le Feu* (91)

Joseph BÉDIER, *Le Roman de Tristan et Iseut* (178)

Lewis CARROLL, *Les Aventures d'Alice au pays des merveilles* (162)

Blaise CENDRARS, *Faire un prisonnier* (235)

Samuel de CHAMPLAIN, *Voyages au Canada* (198)

CHRÉTIEN DE TROYES, *Le Chevalier au Lion* (2)

CHRÉTIEN DE TROYES, *Lancelot ou le Chevalier de la Charrette* (133)

CHRÉTIEN DE TROYES, *Perceval ou Le Conte du Graal* (195)

COLETTE, *Dialogues de bêtes* (36)

Joseph CONRAD, *L'Hôte secret* (135)

Composition Nord Compo
Impression Novoprint
à Barcelone, le 14 octobre 2015
Dépôt légal : octobre 2015
1er dépôt légal : novembre 2013

ISBN 978-2-07-045207-1/Imprimé en Espagne

296878